U0944040

萧乾 主编

新编文史笔记丛书

第四辑

43

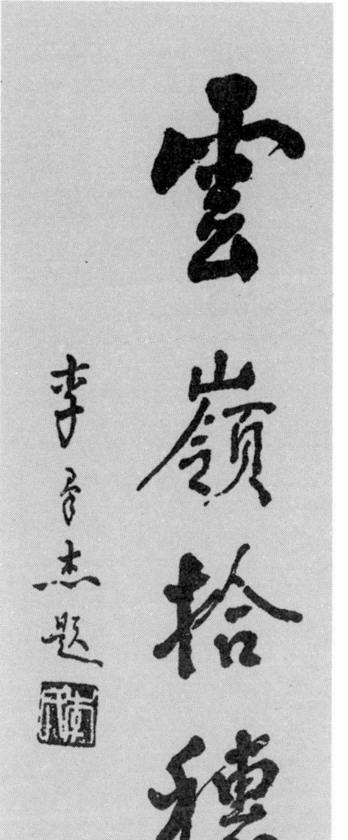

中華書局

◎云南省文史研究馆 编

●李群杰 王樵 顾峰 主编

目录

胜事钩沉

人物春秋

抗战纪事

艺苑奇葩

文物集萃

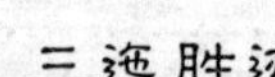

民族风采

天南方物

金碧鳞爪

新编文史笔记丛书

序

萧 乾

读书界向来对野史有所偏爱。野史大多是信手拈来的历史片断，且往往出自亲历者之手。文直事核，不虚美，不隐恶，而文笔潇洒自如，意味隽永，自然朴实，篇幅不长；可以摊开来仔细咀嚼，也可供茶余酒后、行旅倥偬中，随手浏览。

鲁迅在《华盖集》中，曾几次对野史表示过好感。在《忽然想到》一文中写道："历史上都写着中国的灵魂，指示着将来的命运，只因为涂饰太厚，废话太多，所以很不容易察出底细来。正如通过密叶投射在莓苔上面的月光，只看见点点碎影。但如看野史和杂记，可更容易了然了，因为他们究竟不必太摆史官的架子。”又在同书《这个与那个》一文中说：“野史和杂说自然也免不了有讹传，挟恩怨，但看往事却可以较分明，因为它究竟不像正史那样地装腔作势。”

全国文史研究馆所编的《新编文史笔记》丛书，内容也属野史杂说的范畴。我们希望这些以亲闻、亲见、亲历为主的轶事掌故、琐闻杂记，写人、事而摒除误会曲解，述历史而符合真实面目。

作为一种短隽有味，文字清奇而又雅俗共赏的文学体裁，笔记在中国具有悠久的传统。它始自魏晋，盛行于宋代。南朝刘义庆的《世说新语》，北宋沈括的《梦溪笔谈》，南宋陆游的《老学庵笔记》，明朝张岱的《陶庵梦忆》，清朝纪昀的《阅微草堂笔记》以及20世纪30年代初丰子恺的《缘缘堂随笔》，都是文学史上的奇葩。然而，近年来笔记乏人问津。因此，我们出这一套书，也包含着挽回颓势之意。

全国三十二所文史研究馆拥有雄厚的稿源，两千多位馆员和各馆联系的社会人士，都是丛书的撰稿人。他们都是文史界的耆宿，见多识广，阅历丰富：有的反对过帝制，有的在“五四”运动中扛过大旗，他们目睹过军阀的横行霸道，也经历过艰苦卓绝的八年抗战。这些历尽沧桑的饱学之士，他们的所见所闻，都是弥足珍贵的史料。

本丛书分辑出版，分别由各地文史研究馆编辑，内容亦以本乡本土为主。因此，各册势必具有浓厚的地方色彩。

本着笔记固有的传统，所收各文题材不嫌庞杂。举凡与文史有关的政治、经济、军事、文化、社会等方面，或记闻见杂事，或叙往昔交游，或忆社会百态，均在搜罗之列。时间跨度则自清末以迄1949年为止。这正是中华民族从闭关自守到走向世界，从落后羸弱到奋发图强，是天翻地覆、风起云涌的大半个世纪。其间，发生过多少可歌可泣的事迹，涌现过多少杰出的人物。以这一时间跨度为背景题材写出的笔记作品，必然是内容最为丰厚的。

在选稿标准上，我们坚持史料一定要真，内容要新；既要防止以讹传讹，也力避炒冷饭。在写法上务求短小精悍、生动活泼。每篇以千字为度，希望借此在文风方面，提倡一下简约。在版式上，则想做到既利于阅读，又便于携带。

恳切希望文史界方家及广大读者，不吝赐正。

滇人崇敬赛典赤

周善甫

赛典赤·瞻思丁，至元十一年(1274)由元世祖忽必烈任以“平章政事(次丞相衔)行云南中书省事”，是当时云南的一位最高行政长官。

至元十六年(1279)，他死于任上，“葬鄯阐(今昆明)北门”。送葬时，“号泣震野”，忽必烈褒奖有加。大德元年(1297)追赠为“上柱国咸阳王”。由于他勤政爱民，功在社会，其墓葬受到历代滇人的尊重。清康熙年间，曾为之兴建享殿堂庑，以供百姓瞻仰。当时有位叫史褒的人，曾写下这么一首诗：

墓木甘棠乐利多，咸阳古冢望嵯峨。
荒塍初辟松花坝，惠泽长流金汁河。
行省紫微怀典赤，陵园宿草荫藤萝。

足见人们对其景仰之忱，惜殿庑毁于战火。

民国初年，护国功成后，唐继尧拨款重修，建成一座三台方形的大墓，立有由袁嘉谷撰书的《重修咸阳王陵记》碑刻。龙云执掌省政时，亦心仪咸阳王的德业，于状元楼侧的金汁河上建了一座颇具规模的咸阳王纪念碑。惜以拓街而被拆除。可喜的是，墓址所在的五里多小学师生，主动用他们多年来勤工俭学的积累进行了修复，而今陛阶庄严，新柏苍翠，作为文物保护单位，复受人民的瞻仰了。

咸阳王在位的时候，总以“心滇之心，事滇之事”二语自勉勉属，居心既诚，故治事均有显效。他恢复和发展生产，奖农薄税，轻徭少赋，屯田垦荒。他督命张立道发动民工，创修松花坝，疏导六河（盘龙江、银棱河、白沙河、宝象河、马料河、海源河）、挖浚海口等。这些水利工程，都对昆明地区的艾安繁荣起了巨大作用，呈现出“墟落之间，牛马成群；仕宦者莝稻秣驹；滇池之鱼，人饫不食，取以肥田”的丰足景象。七百年来，这六条蜿蜒于昆明城郊，以条石护岸，两岸密植古柏郁郁苍苍的长龙，都触目地标志着这位贤王的丰功伟绩。我曾在《春城赋》中写过“瞻思丁王之惠政，六河长哺”的话，称颂这位回族政治家的杰出才能与爱人民的高尚品质。

吕天民祭黄花岗烈士诗

吕志伊 遗稿

《公祭黄花岗烈士赋感》诗，为吕志伊(天民)所作。吕志伊，云南思茅人，前清举人，同盟会员。在日本与胡汉民、宋教仁、汪兆铭等同任评议。吕曾参加黄花岗之役，作《赋感》诗以纪其事：

一

佗城初见演飞船，日暖风和三月天；
一击孚琦清吏震，温.生先著祖生鞭。

是役前数日，因演飞船，温生才击毙将军孚琦，清吏惧，遂戒严。

二

共起亡秦胆气豪，阿房一炬火云高；
堂堂张也膺专阃，后壁宵穿狗窦逃。

是役义军攻入清督署，火之，粤督张鸣岐穿后壁逃。

三

孤军深入援迟至，拔帜难成复汉功；
右执快枪左炸弹，死呼杀贼鬼犹雄。

是役最初计划，义军约共九队，由黄

克强、赵伯先、姚雨屏、胡毅生、徐维扬等分率之，惜因诸种障故，仅黄克强一队出战，深入无援，遂致失败，惜哉！

四

师漏多鱼甚倒戈，南山有鸟北张罗；
非人误用谁尸咎，桀犬何诛陈镜波。

陈镜波为清水师提督李准部下管带，一面为吾党运送军械，一面告密于李，为此役失败的最大原因，后虽诛陈，然吾党之元气已大伤矣。

五

指堕黄忠屈不伸，劫余龙性共难驯；
友仇国耻何时雪，肠断天香阁主人。

是役黄克强被伤一指，出险后，报告同志书，有“友仇国耻”之语。赵伯先因失败愤恨，断肠而死，墓书天香阁主人。

六

陆沉何幸起神州，错铸和戎魏绛谋；
八载犹余专制毒，九原遗恨岂能休。

七

救国身膏斧锁甘，同盟后死每怀惭；
肖何不事收国籍，烈士应增七十三。

是役余因任编撰，保管檄文、法章、印信等，遂未出战，致惭后死。

八

附骥名彰德不孤，况曾草檄共驱胡；
黄陈谭宋俱凋谢，寥落天南一暴徒。

是役同事之黄克强、陈英士、谭石屏、宋纯初诸兄已相继凋谢。

吕志伊征联震海外

叶祖荫

1908年，中国革命同盟会缅甸支部在仰光印行机关报《光华日报》，副刊上曾发起过一次征联活动，在海内外华文报刊和华侨中产生了巨大影响。

《光华日报》系同盟会党人组织旅缅的云南、福建、广东侨商集资创办的一份华文报纸。1908年底，由同盟会总部评议、云南分会主盟人吕志伊（字天民）由日赴缅，与居正（字觉生）共同主持该报笔政，以扩大革命影响。

当时,光绪皇帝、慈禧太后相继驾崩,宣统继位,因年幼无知,由醇亲王载沣为摄政王。吕天民针对此事,在《光华日报》上撰联征对。其上联云:“摄政王兴,摄政王亡,建虏兴亡两摄政。”这一出句构思巧妙,寓意深远,海内外舆论为之轰动,应征者纷至沓来。不仅东南亚各地华文报刊予以刊载,就连大洋彼岸的华文报刊也转载了。各种报刊选录应征的联句妙语连珠,不乏佳作。如《华侨日报》选录的有“出师表前,出师表后,武侯前后六出师”;“兼祧子成,兼祧子败,满清成败二兼祧”等。《美洲少年》选录的一则为“驱胡者豪,驱胡者杰,汉家豪杰再驱胡”。后经评定,确定最后一则对句夺魁。

《光华日报》的宣传有声有色,保皇党恨之入骨,遂与清廷驻缅领事勾结,企图搞垮《光华日报》。他们邀请保皇派著名文人张石朋(笔名顽石),李聪(绰号聋子)在仰光主办《商务报》与之抗衡,几经较量,《光华日报》越办越好,不断扩大读者面,并使《商务报》主笔李聪封笔闭门,缄默无声,张石朋则脱离该报。当时缅甸华侨中即有人戏撰一联云:“天民作威,聋子投地;生公说法,顽石点头。”生动而又形象地记录了这一论战的情况。后来于右任在《题吕天民偶得诗集》诗中,曾有句云:“缅甸难挥挽日戈,滇边画界事如何?当年佳句争传颂,上国疆分红蚌河。”对吕天民当年在缅甸办报征联史事作出高度评价。

黄子和力主"九九"起义

陶任之

黄毓英，字子和，云南会泽人，性豪迈。壮岁游日本，在东斌学校习陆军，入同盟会。后与杨振鸿入缅，遍历八英、蛮允、干岩、盏达诸土司地鼓吹革命。边吏捕之急，振鸿愤死，子和乃走腾冲、永昌间，阴结同志，并东联党人。至大理、蒙化，吏又捕之，遁入省，窃往唐继尧宅，密谋国事。时蔡锷任三十七协协统，子和往谒，头角峥嵘，目光四射，锷大奇之。叩以所自，坦述其奔走缅、越事，不稍讳，益心许其为人。同人谆劝其入戎籍，俾有凭借，遂任七十三标排长。自是，日与同人谋革命益急切。

辛亥八月武昌起义，子和日夜奔走，屡以言语刺激同人，促响应，热血欲喷，愤若不可终日。九月七日大雨，与唐继尧、李鸿祥、谢汝翼、沈汪度、刘存厚、张子贞等会于唐宅筹方略。多数主速举，有以预备不周，事鲜把握语之者，子和大激昂，愤然曰："今事已急矣！君踌躇，我必先发，事败被获，必首诸君同谋。我死，君等度不能幸生。"乃决期重九三鼓举事。

革命成功后，黄援黔剿匪，在思南被匪伏击遇害。

李鑫编歌传矿区

艾　伟

李鑫(1897—1929)是中共云南地下党的创建人,云南龙陵人。1915年到昆明读中学,后到南京考入东南大学农学系,1924年转入北京农业大学。后与北京大学的云南同学王德三等组织新滇社,积极宣传马列主义。次年曾带领农大同学为抗议日舰炮轰大沽口举行集会,并到段祺瑞执政府门前,参与"三一八"请愿。1925年加入中共,旋赴广州,常到农民运动讲习所听课,后经毛泽东推荐,中共广东区委派他回滇工作。他于1926年8月返昆明,积极发展组织,建立了中共云南特别支部,任书记。

次年3月,王德三回滇主持党的工作。李鑫分管农运,曾到昆明附近各县组织农民协会。"四·一二"后,云南地方当局搜捕共产党员,李鑫化名施鸿祥,进入个旧云南锡业公司马拉革矿当工人,与矿工吃睡在一起。他看到工人们爱唱矿山曲调,但多为花灯俚曲,就依谱改写新词,如《月叹穷》第四段:"四月里来四月中,雨水浓,想到做苦工,背或挑,抬或扛,牛马相同,满身臭汗湿背胸,筋挣红。工钱得的少,苦又苦得凶,有钱人打骂我,欺我是穷。有时开粮子,拉伕去送终，又还要白出力受尽惊恐。”曲调是花灯[玉娥郎]，为了适应歌唱内容，五字句改七字句，七字句改十字句，将虚词装饰音改实际唱词，并发展了曲式结构，循环往复，便于传唱，因而矿工们都爱唱他编的新歌。他还编了《走厂调》、《土劣歌》、《十二杯酒》、《新十二月花》、《过年调》、《点兵调》、《拥护苏维埃》等通俗歌曲，因词句通俗、曲调熟悉，很快就在矿区传播。他还教唱《国际歌》、《打倒列强》等歌曲。矿工们称他为“施大爹”，彼此关系很融洽。

通过歌咏活动，他从中发展党员，秘密组织工会。1928 年底，资方扣发工人工钱，李鑫发动工人罢工，迫使资方接受条件才复工。

斗争胜利后，正准备发动武装起义，引起矿务当局的注意，总经理的爪牙认出施鸿祥就是被政府通缉的李鑫，逮捕了他，于 1925 年 5 月在蒙自牺牲，但他所改编的花灯曲调继续在矿工中流传。

王德三与刘志丹

涂继涛

王德三，是中共云南省委最早的负责人。1922 年他在北京大学就读期间，经邓中夏介绍加入中国共产党。

1924年夏，王德三应绥德陕西省立第四师范学校校长李子洲(中共早期党员)之邀，到该校任国文教员。两年中，李子洲与王德三在师生中发展了四十多名共青团员。在绥德建立了党和团的特别支部，王德三为负责人。1925年初，在王德三等人的领导下，榆林也建立了党团组织，榆林中学有个学生刘景桂(后改名刘志丹)申请入团，但在团支部讨论时，发生争论。有人认为刘志丹出身不好，不能入团，有的则认为刘的思想进步，表现积极，可以入团。两种意见相持不下，支部两次讨论均未通过。

1925年3月，王德三与杨明轩赴榆林参加孙中山逝世的悼念活动。榆林中学团支部向王德三汇报情况时，谈到关于刘志丹入团的争论。王德三说："能否入团入党，主要看本人表现如何，中学生有几个成份好的？"王德三还亲自找刘志丹谈话，在王德三离开榆林前，支部大会通过了刘志丹入团，后来刘志丹成为团支部负责人之一。

国际主义战士马毓宝

唐仿寅

马毓宝追悼会于1920年春在昆举行，北京政府曾派专员到昆主祭，省长唐继尧致悼词。

法、英、美、越、日、希腊各国驻昆使节、侨民及云南各界代表均到会公祭，并由陆军少校追赠为中校，安灵入忠烈祠，以纪念马毓宝个人参加第一次世界大战之殊荣。

会场庄严肃穆，“黄胄光荣”、“邦家之光”两大横幅，分别为孙中山、黎元洪亲书敬赠；“中国有人”的木质金漆巨匾，是回教俱进会公赠。该会会员的挽联是：“天地四方，有志有士；勋名万里，无古无今。”其他挽悼之作，几近千件。

《滇声报》曾报道马毓宝赴法作战事实。陈荣昌为之立传，赞马毓宝在班超、傅介子之列，有存仁取义之大节。

马毓宝原系中国青年军官，愤于德军之凶残而参加法国志愿军团义勇挺进团。先由驻蒙自法领事福拉远、越南法总督撒俄引荐于法陆军部，在参战中壮烈牺牲，成为国际主义的烈士。

马毓宝（1894—1918）字善楚，昆明人，回族。第一次世界大战告终前的1918年9月2日，壮烈牺牲于法国北部亚眠城（Amiens）东南哈姆前线。在此之前，他曾在安克战役中头部受重伤住院，康复后，主动参加色尔河大战，又中氯瓦斯剧毒。法政府为嘉勉其英勇，特授给荣誉十字勋章。中国驻法公使胡维德及赴欧观战团团长唐在礼也对马深致嘉许。法陆军部原可按制使其入法陆军学校深造，但马坚毅地回到战火十分酷烈的亚眠战场。他中弹后，强忍创伤剧

痛，用汉语和法语两度振臂高呼“自由、平等、博爱万岁！”“中国万岁！”壮烈地与世长辞。牺牲时，年仅二十四岁，距最后胜利只十二天。遗体由法政府照回教礼俗，公葬于法北埃纳省苏瓦松专区黄首镇埃纳河畔之维克城陆军公墓。花岗石碑正面镌刻着“1918 年为法国而阵亡的外籍志愿军烈士马毓宝”，墓号为五十九号。

朱德与范石生

雁　寒

范石生，云南河西人，出身于儒医家庭。省立优级师范毕业，后进云南陆军讲武堂，曾参加辛亥革命及护国、护法等战役，递升为滇军第二军军长。

1927 年“八一”南昌起义前，范石生任国民革命军第十六军军长，朱德在他部下任教导团长，与范关系密切。朱德在《从南昌起义到上井冈山》一文中曾说：“我们经过党组织的讨论和批准，同范石生部合作，我们用了他一个团的番号伪装起来……”此事后为蒋介石得知，范石生把蒋介石拍发的“共军头目朱德化名王楷在你部任教导团团长，请即扣押送办勿误”电报拿给朱看。朱问：“军长，你看怎么办好？”范石生说：“我们既处在这样环境里，你们还是走了吧。全国老百姓都寄希望于你们，一路上要多多珍重。我已经告诉军需处为你们离开作准备。”临走时，范给朱写了一封信，表示他的诚意，信的大意是：一、孰能一之，不嗜杀人者能一之；二、为了避免部队遭受损失，你们还是要走大路，不要走小路；三、最后的胜利是你们的，我是爱莫能助。另外还给朱的部队送了几万元现洋作路费。此后朱德上了井冈山。范石生后被蒋介石免职，在江西庐山的芦村行医。抗日战争开始后，回到昆明小西门蒲草田故居，仍以行医为生。

朱德题滇军舞台对联

雁　寒

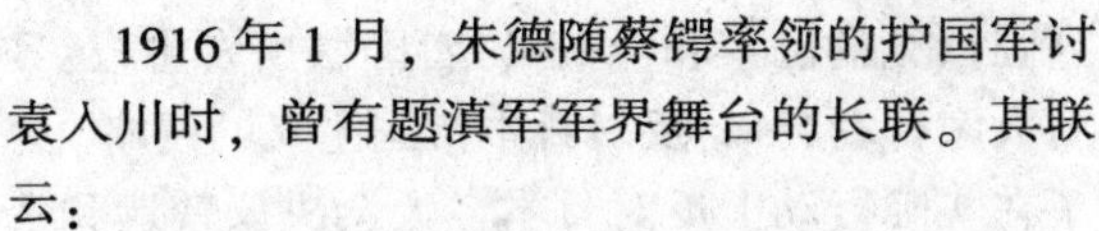
1916 年 1 月，朱德随蔡锷率领的护国军讨袁入川时，曾有题滇军军界舞台的长联。其联云：

大英雄惟有上台难，对两朝丝管，五族旌旄，如此江山，更有何人偷生，自打收场鼓；

好歌舞莫教称颂错，看北帝披猖，南呼革命，这般局面，仍余我辈入蜀，重麾破阵旗。

旧时军队尝有“随军剧团”，此联可能就是题赠此类滇军剧团的。联语寓意深刻，气势雄浑,虽是描述舞台,实系意蕴时局。

朱老总对“滇军”一向有着深厚的特殊感情,联中赞扬“滇军”的“更有何人偷生,自打收场鼓”,“仍余我辈入蜀,重麾破阵旗”,岂只护国讨袁时这般英勇,日后的滇军血战台儿庄,又何尝不是这般!

“五四”时的两张传单

黎　新

1919 年的“五四”运动在北京爆发后,昆明学生闻风响应,奔走呼号,各界群众积极支持。6 月 4 日和 7 月 25 日先后在云华茶园举行国民大会,到会者甚众。登台演讲者义愤填膺,痛斥列强操纵的巴黎和会,声讨卖国贼出卖主权,号召大家行动起来,反对日本帝国主义的侵略。为了在实际行动上反对日本,大会决议禁运和禁售日货。云南学生爱国会陆续刊布了供人们识别和抵制的日货传单多张。这类传单笔者曾见过两张。

两张传单所列日货,种数在二百种以上。有的标明“东洋麦酒”、“东洋棉花”,有的直书为日本制造,更多的则是以凤凰、麒麟、白鹤、黄猴、虎、豹、龟、蝎为牌记。

两张传单里的两百多项日货中,火柴就有

十四种，纸张有二十种，瓶酒有二十三种。像“满洲株式会社头等灰面”一类的粮食制品，乃是日商在华就地取材，设厂加工，由我国东北转运而来的。还有日制口缸、茶杯、皂盒、茶壶等搪瓷用品，往往“外观洁白”，而“其质甚粗”。

李杏锦参加百色起义

骆科才

李杏锦 1900 年出生于云南富宁县剥隘镇一个壮族家庭。

为了挣脱封建婚姻枷锁，李杏锦到广西百色孔圣庙小学上学，四年后以优异成绩考入广西南宁师范班。毕业后，回到百色当小学教员。正在她盼望革命又不知如何革命之时，邓小平于 1929 年 6 月来到广西，奉党中央令统一领导广西革命斗争，使正处于苦闷彷徨中的李杏锦犹如黑夜里看到了明灯，她立即辞去教员职，毅然与当地的二十多位女子一起投身革命，参加 1929 年 12 月 11 日由邓小平、张云逸、韦拔群等发动的著名的百色起义。起义后李杏锦被分配到红七军政治部工作，她工作得很出色，1930 年初便加入了中国共产党。这期间，她与红七军政治部领导袁任远结了婚。

1930 年 9 月，红七军集中河池整编为三个

师后，其中两个师奉党中央命开赴江西与主力红军会师。剩下的二十一师，由韦拔群带领，留在广西坚持斗争。革命转入低潮后，组织上决定李杏锦跟随陈叔度留下，开展地下斗争。不久，上级又命令陈叔度和李杏锦等四人暂时转移香港。不幸的是，当他们到达广西崇左县境内时被敌人包围，四人英勇反击，终因寡不敌众，陈叔度、李杏锦等三人都中弹牺牲。

李杏锦是壮族人民的好女儿，虽只活了三十岁，但她那"纵死犹闻侠骨香"的革命精神，深受后人景仰。

方树梅万里访书

李孝友

云南地方文献，源远流长，卷帙浩繁，但历多流散，不少珍善典籍，滇中反告缺如。

鉴于此种情况，云南耆宿、晋宁藏书家、学山楼主人方树梅于民国二十三年(1934)自筹旅费，争取公助，只身一人，踏上"万里北游访书"的途程。临行时，省图书馆馆长秦光玉写诗相赠："辑刻《丛书》已廿年，更从全国访遗编。网罗文献千秋事，鞅掌风尘万里天。"

在北游访书的过程中，方氏长途跋涉，艰苦备尝，足迹遍及粤、桂、沪、苏、宁、京、鲁、陕、皖、赣等省市，每到一地，逛书铺，谒藏书家，访藏书楼，参观当地图书馆，并通过拜访故旧，结识新友，多方访求滇云文献。经过方氏之努力，在北京访到杨一清的《阁谕录》、《密谕录》、《吏部献纳稿》及《邃庵集》；赵文哲的《娵隅集》；曹树翘的《滇南杂志》等。在天津借任氏“天香楼”所藏李元阳纂修的万历《云南通志》晒蓝携回。在安徽望江访求到师范的《滇系》及《二余堂诗钞》。在上海访求到严廷中的《岩泉山人诗四选存稿》。在江西访求到嘉靖刻本《石淙诗钞》。在山东访求到吴允中校刻本《韵略易通》。方氏这次北游访书，历时一年多，行程万余里，购回图书三万余卷。

在旅途中，方树梅逐日写日记，最后成《北游搜访文献日记》四卷，并附《纪游诗》百余首。归来到达昆明时，曾即兴赋诗云：

南北遨游愿不违，半肩文献尽珠玑。
生平第一快心事，多少先贤伴我归。

足见当时方氏满载而归，酬其生平乐抱陈编的惬意心情。

敬恭桑梓　甘入幽谷

彝族·李　埏

1937年6月初的一天下午，云南旅平学会假座北平西单的西黔阳饭馆聚餐，欢送熊庆来先生返滇主持云南大学。熊先生当时在清华大学任理学院院长兼数学系主任，享有令人欣羡的崇高地位，过着舒适的生活，然而他却慨然舍弃而去办省立云大。这对于一些善于自谋的人来说，殊属不可理解。就在那次西黔阳的宴席上，当熊先生尚未到，大家闲谈以待的时候，便有一个爱说笑话的人说："常言说得好，'秀才落寞，下乡教学'，熊先生正春风得意，何以要下乡教学呵！"一会儿，熊先生来了。主持人把大家一一介绍给他，接着请他讲话。这是我第一次看见他。他那天的讲话声音至今好像还在我的耳际：

"我为什么要离开清华这样好的环境，去那简陋而闭塞的云南大学？有位朋友对我说，孟子曰：'吾闻出于幽谷，迁于乔木。未闻下乔木而入于幽谷者。'你不遵孟子之教，将来必有后悔。《孟子》我是读得很熟的，这话我也曾经想过。但我仍决心回去，为什么呢？云南要发展，需要大量受过高等教育的人才，即使诸位都能回去，也是很不够的。我认定，只有在云南办好自己的大学，使很多青年易得深造机会，不必舍近求远，才能满足建设需要。但是，要在云南办好一所完善的大学，谈何容易，以前是可望而不可及的。现在有希望了。从多次的反复商洽中我看到龙云先生确实下了决心，龚自知先生要我承乏校长一职也很有诚意。我是云南人，从事大学教育，要敬恭桑梓，只有办学一途。回去办学，筚路蓝缕，势必要影响自

己的研究工作，但能培养出成百成千的后起之秀，不胜过我个人的成就吗？”

熊先生的这席话引起大家的敬仰深思，在我眼前，他的形象顿时高大起来，暗暗立志要向他学习。

梅贻琦支持学生运动

白族·王　云

梅贻琦长期任清华大学校长。抗战期间，在昆明的西南联合大学时，梅为常务校委，主持校务。梅虽较少参加政治活动，而对爱国民主运动却很关心。他为人审慎，每遇难办的事，表态时很注意措词。有个学生曾编了四句顺口溜“大概或者也许是，但是我可不敢说，不过学校总以为，仿佛有点不见得”，并译成了英文。他女儿梅祖芬获悉后，念给他听，梅听了哈哈大笑，还说“有点像”。但对“一二一”运动，他并不含糊其词，而是对学生运动表示支持。

1945 年 12 月 1 日，昆明发生镇压爱国学生运动的惨案，当时梅校委因公赴北平。12 月 12 日返昆后，校方向他汇报事件经过和罢课抗议等情，梅校委觉得不好办，保持沉默，也不主持召开教授会议。

12 月中旬，国民党当局向校方施加压力，要

求12月17日复课，联大同学袁永熙、洪德铭请闻一多教授劝说梅贻琦支持学生合理要求。梅消除疑虑，并约云大校长熊庆来采取同样态度，遂主持教授会议，决议请政府对镇压学生运动的行政首脑先行撤职，并推举周炳琳、冯友兰、赵迺廼抟为代表向卢汉、霍揆彰转达学生要求，学生自治会的理事也出席了这次会议。实际上，教授会已承担了和政府谈判的重任。后卢汉接受了复课要求，梅常委和熊校长共同招待新闻界，说明事件经过，澄清了真相，提出军政当局应负的责任，还表示学校将依法提起控告。至此，学生所提五项要求已基本实现，乃宣布12月27日复课。

"一二一"四烈士出殡

王　尧

1945年12月1日，为反内战、争民主而牺牲的四烈士，直到次年3月17日才举行出殡公葬。

出殡之前，政府当局多方刁难，提出凶死者照地方旧日习惯，不应出殡；出殡宣传意义多于哀凄；棺木与葬地同在联大校内，无出殡必要。并表示，倘所主张不蒙采纳，则本市商民届时唯有相率关闭店户，不愿与见与闻，以示抗议。

经过多次谈判，爱国学生作了让步，愿意出殡时不喊口号、不贴标语。当局迫于民心难违，不得不勉强同意，但仍通知商店住户停业关门。

3月17日恰好是星期天，天朗气清，春意盎然。上午11时，三万多人的送殡行列，在一阵阵爆竹声中，怀着哀凄的心情，走出联大校门，走向昆明的大街闹市。出殡时，自由钟的声响，如林的挽联，悲惋的哀乐，伴随着四烈士灵柩的送殡行列行进。沿途有很多路祭台，人们在那里悲愤吊唁死者的英灵。西南联合大学在具有历史意义的护国门用柏枝和纸花扎成牌坊，上挂烈士遗像，两旁悬挂“英灵播下民主种，鲜血开出自由花”的挽联，横额为“党国所赐”。当灵车经过时，他们宣读祭文：

>……你们安眠罢，滇池的浪花，西山的白雪，将永远庇护着你们；墓边的青松，将永远象征着你们对民主事业的忠贞；墓上的兰蕙，就要开出自由的鲜花。你们的赤血，已经培育了民主中国的新芽。看罢，新中国就要来到，你们的名字——于再、潘琰、李鲁连、张华昌，将和民主的新中国一样，万古流芳。

当天，由于政府通知商店关门，居民闭户，反而使得成千上万的群众走向街头，共同参与了出殡仪式。

静默中的阵阵惊雷，摇撼着每个爱国者的心，预示着黑夜即将过去，黎明就要到来。

赵藩诗赠刘永福

赵和甫

1884年中法战争中，云贵总督岑毓英奉诏率云南军队入越南协击法军。黑旗军名将刘永福亦率旧部在越，安南王委以三宣提督，由岑督节制抗法，曾在临洮、谅山等地大败法军，引起法国政局动荡，而清政府反与法国议和，后签订了丧权辱国的《中法新约》。

在战争中，岑尝向刘谈及赵藩，刘甚仰慕，专函留守督府的赵藩，请为题诗书扇。赵藩欣然题诗扇面以酬豪杰，诗曰：

日南之邦古献雉，圣代绥藩同一视。岛

夷狡尔思启疆，搪突藩篱奞蛇豕。黑云压阵鸦军来，喋血斑斑战袍紫。誓师传檄气喷薄，鬼胆先寒鬼魂褫。我不知君作何状，心知自是奇男子。庙堂柔远冀德化，百年盘敦要难恃。木兰回忆鼎湖痛，中外臣民切深耻。君才杰出正有用，感恩尚复怀桑梓。愿君抑塞持定力，兼抱葵心贯终始。指挥白羽扫边氛，他日书名压青史。

诗篇分析了历史形势，力赞刘氏英武雄威，歌颂抗法辉煌战绩，并致敬爱之意，勉励其贯彻始终，不移初志，诗成传诵于滇中。赵在其他诗篇中，也怀念这支黑旗义军，慨叹清廷不加依靠和接济，如“……谁怜思好奇男子，独领鸦军控角弓，……”又如“漫加倠汜是萑苻，独向交南振臂呼。片檄风雷红露布，一军旗纛黑云都。尸填马窟无强敌，气盖虬髯此丈夫。好与藩篱为巩固，阿谁谈笑坐中枢？”再三对刘军致以敬意而痛斥清王朝主政者的无能。

蔡松坡崇俭

陈　度　遗稿

民国肇兴，蔡锷督滇，崇尚俭朴，非星期日不宴客，一席之费不得超过五元，悬为例禁，违者有罚。警察厅长某不在星期天宴客，并请蔡首

座。请帖入，蔡即于其上批："违背功令，罚薪半月。"闻者莫不诧异发噱，而奉令唯谨。

梁启超与唐继尧

白之瀚 遗稿　万寿康 整理

护国之役，梁启超、蔡锷师徒先后脱离北京筹划南行，唐继尧曾派员邀梁来滇共商大计，后因入桂，未能践约。但梁对唐及滇人亦屡致电函，极表推崇感动之意。来函中有"以一隅而抗天下，开数千年历史之创局，不计利害为天下先，拯国命于垂亡，当为全民感谢"之语。此函唐曾影印遍发军民（梁氏书札，均存东陆图书馆），诚可谓志同道合、相处无间矣，所以始合终离，且至反唇诬诋，此中实有故焉。

始缘蔡困大洲驿时，屡电乞济械弹，正龙觐光寇滇之时，唐无以应，蔡屡密电在肇庆之梁启超，抒其愤懑，梁遂深怀不满。及军务院议起，梁派黄群到滇，以广西陆荣廷之独立出兵及提挈两广，均系全局安危，请以抚军长让陆。滇中军民闻而大哗，使滇沦为附属，遂引梁氏电函推重原语，纷电诘问。梁既以此许陆，又不得不从公论推唐，两面为难，致陷窘境。今忽受此重大打击，益觉意外难堪，遂由不满而成宿怨，是为发生嫌隙之真因。自此往还顿疏，仅未破裂耳。迨护法师兴，梁嘱陈廷策向唐劝阻，唐坚执不从，且亲督师至渝，于是梁益愤恚，而彼此声问遂绝。其后二年，梁氏到宁讲学，乃有《躬历谈》之作，则不啻为上述种种嫌怨之总表现焉。

关于蔡在大洲驿及梁阻护法二事，当时报章杂志，既可寻绎，且有梁氏全集即《盾鼻集》、《躬历谈》并松坡《军中遗墨》等可资考证。惟军务院一段内幕，当时因恐袁、段窥见破绽，未尝发表，几成秘史。然当时各界既有质问梁氏之电，则昆明、肇庆两地电局，当有原底存档，况参加此役之各方同志，知者谅亦不少也。

自梁氏书出，而护国之役真相颠倒，盖梁、蔡既有进步党人为之到处宣传，复多往来于交通便利、报纸发达之地，滇则僻处边隅，民性惟重实际，在外如京沪各地，从无宣传组织，偏远隔离，几同世外，《躬历谈》发表之后，虽曾有人著文反驳，但只登诸云南报章，且梁素有文名，故能为所掩蔽而贻误至今也。

黎元洪赠唐继尧联

何开明

1917年，先父何劲修(秉钧)任开(开化)广(广南)缉私营管带。某日，因公晋省，谒督军兼省长唐继尧于五华山。会客室内悬有大总统黎元洪赠唐一联，联云：

南天一柱风云会；

东汉三明伯仲间。

上联系歌颂唐氏的丰功伟绩，在唐墓上也有“南天一柱”的石匾。下联“东汉三明”，我在年轻时不解，后来看到一本《史略》刻本，摘录历代名人，每人约有十多字或数十字的评介。东汉人物有皇甫规、字威明，张奂、字然明，段颎、字纪明。叙到段颎时称：“颎与皇甫威明、张然明并知名显达，京师称为‘凉州三明’云”，始知“三明”之典出于此。三明俱一时名宦，当时中枢之掌权者，乃以伯仲于“三明”见许于唐氏焉。

文官考试出才女

何开明

1928年，由龙云主政的云南省政府，曾举行过文官考试，共取七十七名，分为三等，一等可委县长，二等可任行政委员，三等可任县佐。在一等中有惟一的女性孙佩珊。孙以一女性而首次考取文官，当时传为佳话。但她考取县长后，迄未奉委。

孙佩珊(1906—1953)字德璜，云南蒙化(巍山)人，曾就学于东陆大学，是袁嘉谷先生的女弟子，孙之画梅诗“回头久历冰雪劫，信手全收天地春。无瑕品格清于洗,有格文章秀可餐”颇为袁所赞赏。孙父早卒,舅父罗为垣早年曾留学美国哥伦比亚大学,获采矿冶金博士学位,归国后在个旧、一平浪等矿区任总工程师。孙在舅父的教导下,学会英语,善抚七弦琴,在昆明当过小学教员和女子师范教员,任警官学校舍监(该校有女生)和省会公安局女子感化院院长等职。

一字见风骨

李 埏

大约是1946年,云南省财政厅长陆崇仁派员到云大来见熊庆来(迪之)校长,说:“财厅意欲把年久失修的至公堂拆除,在原址上建一座比会泽院还要高大雄伟的大楼;楼仍用旧名,但要把至公堂的‘至’字改为‘志’,借以纪念龙志舟(云)主席;与纪念唐继尧联帅的会泽院前后辉映。熊校长以为如何?”迪之先生听了,不假思索,便率尔回答道:“至字不宜改;大楼建于至公堂原址,与会泽院太逼近,未免拥挤。不如另择校内其他地方,比如本校工厂、晚翠园那一片(即今校工会往西一带),也可以嘛!”后来陆又托人来商谈,迪之先生仍坚持己见,其事遂寝。校内外许多人士颇不以迪之意见为然,讥之为迂阔。记得那时我在教员食堂包饭,一天晚餐,

饭桌上又议论起这件事。有的人竟指责熊先生“迂阔”、“书包子”、“食古不化”，我和缪鸾和等二三人不同意，我说：“熊校长不是迂阔的书包子，而是骨头太硬，有骨气。”这句话惹恼了几个人，几乎吵了起来。当然那些对迪之先生有微词的教师，也可能出于爱护学校的好心，不过爱校之道不同罢了。

这一字之差的故事，抚今追昔，更能见迪之先生的卓然风骨。

云南名医曲焕章

胡以钦

余幼时即闻曲焕章之大名。众称其所制百宝丹、虎力散、撑骨散等中草成药能治重伤，轻者半月奏效，重者月余康复，神效非常。因只耳闻而未目睹，亦只半信半疑而已。

抗战时期，有一天，我的小弟妹数人在楼头嬉戏，突然一根栏杆脱落，九妹从楼上摔至下面花台边碎瓦堆上。当时血流如注，气息微弱，哭不出声。先父急请曲焕章至，余亲见其并未用任何药物清洗创面，只取出草药一团，糊于患处，包扎好，灌下百宝丹及虎力散。未几，九妹渐苏，曲焕章嘱日服药三次而去。经服药及换药数次，未半月，九妹即康复。奇怪的是伤处未留丝毫疤痕。先父虑九妹伤及头部，日后可能影响智力，但九妹长成后，竟成为诸兄弟姐妹中之佼佼者，余始对曲焕章神医妙药之说深信不疑。

曲焕章，云南通海人，少失怙，客个旧。据云少年时病危，屡得外科医生姚连钧救治，乃拜姚为师。姚精外科，焕章侍奉惟谨，师每入山采药，归来配制，曲均随从，十余年尽得师传。后辞师游诸名山，每闻有奇草异木，虽跋涉险阻，手足龟茧，必得之而后已。经多年刻苦钻研而制成百宝丹、虎力散等药，救人无算。其能名噪遐迩，实非偶然。

袁嘉谷与“木瓜之役”

强英良

1909 年底，袁嘉谷任浙江提学使时，许寿裳任浙江两级师范学堂的教务长，鲁迅当教员，他们都同时住在杭州。那年 12 月，学堂的监督(校长)换了夏震武担任，他是个封建卫道者，鲁迅等人讥讽他为“夏木瓜”，意即不识时务的人。夏上任后要许寿裳陪同谒圣，许拒不奉陪。接着因为夏对于住堂的教员们仅仅差送一张名片，并不亲自拜会，更激起了教员们的愤怒，一致强烈反抗。于是选派鲁迅、许寿裳等数人为代表，与夏辩论，夏竟以“师范腐败过甚”等语言污蔑教员。全校教员一致决定罢教,以示抗议,要夏收回前言,为教员们恢复名誉,风潮就这样闹开了。

袁嘉谷于12月24日始到杭州,掌管全省教育,初上任就卷入师范学堂风潮的漩涡。26日,许寿裳在鲁迅等的支持下,到浙江提学司拜见袁嘉谷,陈述教员们反对夏的理由。27日,袁写信给夏,打算居中调停,早日结束风潮。袁在信中,同情许寿裳,引起夏的不满,回信说:"许君当日如此决裂,万无再留之理,听其辞去!"

鲁迅、许寿裳等全体教员发电报给北京清廷的学部,明确表态。电文说:"浙江教育总会会长夏震武新充两级师范监督,侮辱教员,斥逐教长,纵该会会员蹂躏师校,学校调停,监督坚不承认,教员全体辞职出堂。"他们发完电报,全体教员交出聘书,搬着行李,离开学堂。

夏某见教员集体辞职,31日宣布提前放假,但遭学生反对。杭州其他各校师生,亦纷纷投书报纸,声援该校的正义斗争。1910年1月2日袁嘉谷发出批示指出:"提前放假,显违部章。兴学为本署司目的,凡不合部章者,必实行干涉。此次两级师校之事,已由司酌拟办法,详请抚宪察夺示遵,仰即知照。"4日,袁写信通知夏某:"师范学堂事,由本署司暂行兼理。"明令撤去夏的师范学堂监督职务,由袁代行监督。次日,袁带人到师范学堂,与夏办理交接手续。几天后,袁请杭州一位有名望的绅士去署理师范学堂监督事务。9日,这位新任监督按袁指示去鲁迅、许寿裳等的临时住处，送还原来的聘书。

斗争胜利后，鲁迅、许寿裳等二十五位教员在临时住处召开名为“木瓜之役”的纪念会，并合影留念，庆祝胜利。10日，鲁迅、许寿裳等仍搬回师范学堂。

女书画家缪嘉蕙

张　诚

缪嘉蕙，字素筠，昆明人，生于清道光二十二年(1842)，卒于民国七年(1918)。她从小聪颖端淑，颇爱书画。书法学黄山谷，以楷书见长，小楷写得秀健俊逸。绘画擅长翎毛花卉，著称一时。当时云南文人慕名而登门求书画者络绎不绝。

清光绪中叶，慈禧太后垂帘听政之余，怡情翰墨，附庸风雅，学绘花卉。又作擘窠大字，常书福寿等字以赐大臣。苦于造诣有限，出手平平，思得一精通书画的女流以代笔，乃诏各省访觅。嘉蕙早年随夫宦蜀，夫死子幼，守节不婚，返滇后，居昆明钱局街。清光绪十七年(1891)，嘉蕙在昆应征，被召入宫任职。慈禧召试后大喜，置诸左右，朝夕不离，免其跪拜，赏三品服色，月俸二百金，命宫人称为“缪先生”，有的称为“缪姑太”。嘉蕙与管念慈、阮玉芬(阮元孙女)等同为福昌殿供奉。缪专为慈禧代笔，慈禧所赐各大臣

的书画，大都出于她的手笔。嘉蕙作书画时，慈禧在旁细观，也学到了一些方法，自己也学着提笔作书画，赐给各大臣的家属，扇轴均有。不过多半仍是嘉蕙代笔，署慈禧之名而已。八国联军破北京，慈禧西逃，所带的几个贴身随从中就有嘉蕙，可见，她确是慈禧手中不可缺少的一支笔了。慈禧做六十大寿时，嘉蕙穿戴着凤冠霞帔，陪侍宾客。朝臣诰命，莫不引以为殊荣。

嘉蕙除为朝廷供奉绘事之外，余力所作，京里人士常争相购买，晚年名声更盛。慈禧死后，嘉蕙也就告老，从宫里搬到北京什刹海自己买下的一院房子里，死后葬在北京赵忠敏祠的后面。今天云南民间还珍藏着她的不少书画作品。

《护国门碑记》的作者

张　庆

云南护国起义，在我国现代革命史上留下了光辉的一页。云南各族人民为了纪念护国讨袁的功绩，于民国八年(1919)1 月兴工，把昆明南城墙靠东一段拆除，建立了一座三孔拱形镂花铁门，名曰“护国门”；同时在门外建造一双孔石拱桥，名曰“护国桥”；又将连接护国门和护国桥的绣衣街加宽，改为石砌马路，名曰“护国路”。这三项工程于同年 12 月完工。工程竣工时，在护国门左侧立了一块石碑，名曰《护国门碑记》。碑文概述了护国一役的历史经过及其重大意义；碑阴则记载三项工程的督造、监修和工程设计人员的职务、姓名，并有工程的立案、修造时间、经费开支的记录。此碑在拆除护国门时已不见。

《护国门碑记》的碑文是袁嘉谷撰文，陈荣昌书写，碑额是陈度篆书。这三位撰书者都是当时滇中有名望的书法家，在前清科举应试中都有过功名。袁嘉谷为光绪二十九年(1903)经济特科第一名；陈荣昌为光绪九年(1883)进士，授翰林院编修，督学贵州，迁山东提学使，归滇后主讲经正书院；陈度为光绪三十年(1904)进士，辛亥后任云南盐运使。

龙济光谋害李印泉

梓 舟

龙济光与李印泉(根源)同为滇人，然气节各异。袁世凯洪宪称帝，龙被封为一等公，名次在冯国璋之前。龙在广东战败反袁军，解惠州之围后，又被加封为"郡王"。其兄龙觐光封为一等男、临武将军兼云南查办使。当日弟兄两人，显赫一时。1913年，李印泉被举为众议员，袁世凯委为高等顾问，月支薪金八百元，李印泉坚辞不

就。宋教仁被刺后，孙中山、黄兴电约李印泉到上海密商大计，返北京不几天，被袁侦悉，革除官勋。幸先得信息，他同众议员赵藩从后门逃跑。抵上海后，与孙中山、黄兴、岑春煊等人结合，黄兴在南京称讨袁军总司令，岑春煊为讨袁军大元帅，命李印泉随岑春煊赴广东，慰勉陈炯明，希望说服龙济光拥护革命，因岑过去有大恩于龙。那知岑、李抵广州之日，龙济光已连下肇庆、三水等地，逼近广州，陈炯明弃职逃跑，岑、李两人亦不得不登澳门船逃往香港。龙济光派滇籍多人，侦察李的踪迹，根据袁世凯的通缉令，照会香港总督，悬赏十万元捕拿李印泉。护国之役，李任护国军驻粤、港代表，策划两广反袁，龙济光又悬重金捕李，幸李机警，见印捕十人前来，即由后门逸出，遂未被捕。迨后，其兄龙觐光征滇之师在百色全军覆没，李烈钧、陆荣廷兵下广东，龙济光因迫于形势，一面密请袁世凯速派劲旅到粤协防，一面向袁世凯“请命独立”，实为假独立。岑春煊、梁启超、李根源在肇庆成立两广都司令，龙济光托张鸣岐率同他的儿子到肇庆欢迎梁启超。梁、李到广州发军务院成立通电。午间欢迎席上，龙济光阴嗾其统领胡令宣在外乱叫乱骂，夜间复以兵四五百人围在门外，喧声叫嚷要杀李、梁。龙氏两弟兄这时托辞走避观音山，当时幸有张鸣岐、李国治、段尔源、张联等人尽力调解，护送李、梁二人由后门步行出城，始免于难。

龙济光三次谋害李印泉，实为倒行逆施，向为滇人所不齿。

秦力山功不可没

景　同

秦力山，名鼎彝，湖南长沙人。在日本经沈云翔引见，认识孙中山先生。1900 年义和团运动起，在日本爱国志士中，有主张游说义和团首领，使改“扶清灭洋”为推翻满清专制者，力山遂只身赴天津，求见义和团大师兄，痛陈利害，竟被斥为“二毛子”，命牵之出。于是力山转往汉口访唐才常，参加长江自立军运动，担任安徽池州、大通发难之责，事败后，由新加坡转赴日本。力山在中山先生领导下，与王宠惠创刊《国民月刊》；与章太炎、马君武等利用明末崇祯皇帝自缢煤山亡日，在留日学生中开展反清宣传，共同发起“中夏亡国二百四十二年纪念会”；与张继及日人下田歌子等组织“兴亚会”(非日本侵华时之兴亚会)。1904 年，力山至香港，往来广东三次，欲运动湘籍防军反正，被清提督李准派兵搜索，乃逃至缅甸，在满德礼与滇人李瑞北等筹商云南起义事。适滇边腾越干崖(今盈江)土司刀安仁倡办国民学堂，派卢若连至仰光物色专任校长，徐赞周以力山荐。力山明应刀土司之聘，

实则考察云南边地之情形，以便开展革命活动。腾越起义之张文光、刘辅国，即经力山介绍，加入同盟会者。杨振鸿被云贵总督锡良缉拿，逃往盏达，得到刘辅国护送出缅。后来黄毓英、杜韩甫、吴品芳、马幼伯等持刘辅国介绍函，至腾越与张文光重订盟约，磋商革命，遂有辛亥9月6日先昆明之腾越起义。筚路蓝缕，力山先河之功实不可没。力山居干崖年余，忽染重病，因误投药石，竟成不治之症，1906年11月11日逝世于干崖，年仅二十有九。

高玉柱其人其事

雷声普

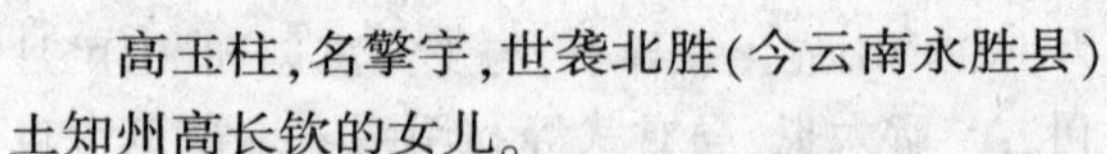

高玉柱，名擎宇，世袭北胜(今云南永胜县)土知州高长钦的女儿。

高氏，彝族，原住大理点苍山莲花峰芒涌溪。祖先高方因救护段思平有功，段为大理国主后，高氏得封侯。1048年(宋仁宗庆历八年)后，高土司便统治永胜、华坪，传至清光绪二十五年(1899)高长钦袭职，共历时八百五十一年。

高长钦对女儿玉柱十分喜爱，特聘名师精心培育，授以经史诗文。玉柱聪慧，能诗、能书、能画，实为少数民族中少见，故当时有彝族“滇西才女”之誉称。她性格爽朗，落落大方，常男装打扮，穿长统靴，梳短发，好骑射。

民国二十一年(1932)，玉柱不甘久居边陲，思欲一展才能，有所作为，乃毅然离家来昆明，谋得某图书馆管理员职，因便得阅读更多书籍，增长了学识，开拓了眼界。但仍感久居昆明难展抱负，便与丽江喻某以滇西少数民族代表身份去南京，谒见国民政府有关部会负责人陈述意见，政府委以彝族驻京代表之职。一时南京许多报刊竞相刊登她的照片和诗文，广为宣扬。国民政府迁都重庆，她亦随同赴渝。民国三十一年(1942)，国民政府任命她为西南边疆宣慰团团长，并授以少将军衔。于是她便脱却红装着武装，俨然一女将风度。她衔命赴云南、贵州、广西、西康等省边区，对各地土司、头人宣抚慰问，宣传民族政策与抗战方针，以安定后方。

她在赴滇南宣慰途中，因交通不便，长途跋涉，身心劳累，至金平县即染上流行时疫，因缺医少药，转送到个旧后，不幸去世，卒年三十六岁，终身未婚。遗体运到昆明，停放在翠湖边佛教会堂，各界人士前往吊唁，并举行追悼会，国民政府明令褒奖，灵柩派专车运回永胜，葬于壶山山麓。

玉柱有较深厚的文学修养，诗作甚多。兹节录其1942年于安宁温泉所作七言古风一首：

……潺潺流泉水芳洌，国难当头心欲折，不是泉温是火焚，誓掷头颅洒热血。铁血三千洒桃花，英雄半属女儿家，平边弭乱秦良玉，持节直追汉军车。同胞同胞奋臂起，长枪大纛东北指，不是当年泪温柔，不复民族心不死。

全诗共四十四句，慷慨激昂，不让须眉，爱国热忱，溢于言表。

射覆专家葛振鹭

雁 寒

民国时期，云南曾出现一位研究谜语卓有成就而被誉为“射覆专家”的葛振鹭。

葛振鹭，字在庭，1881 年 2 月生于河西县城，毕业于高等学堂，曾在云南省政府秘书处供职多年。平生潜心著述，诗文兼优。清末民初，曾与昆明、河西文士以诗联谜语垂教，制谜精湛，故有“射覆专家”之称。先后著有《滇戏考》三卷，及《抱朴堂谜话》。惜两书均未付梓，年久散失，经其侄葛世立先生苦心查访，现已找到《抱朴堂谜话》手抄本四卷，共四万余言。其内容为：一、灯谜源流变迁；二、灯谜格式四十种；三、灯谜法门与诗歌词曲；四、古今名谜分类及创作。

旧时出于偏见，视谜语制作为“雕虫小技，壮夫不为”，故著作寥若晨星，《抱朴堂谜话》实有凤毛麟角之感，至今仍有鉴赏和研究价值。

一字千金

胡以时　周嘉佩

1948年，南京举行国民代表大会，选蒋介石为总统。蒋拟择当时位尊而善书者书写“总统府”三字。当时或谓：“于右任之书，刚劲雄浑，但偏草；吴稚晖之书，端楷庄正，却嫌柔。惟周钟岳兼具两者之长，且周为无党无派人士，政声清廉。”最后，蒋遂请周书写。事后，蒋取“一字千金”之意，馈赠大洋三千元，周坚谢不受，时人称之。

周钟岳（1876—1955），云南剑川人，清光绪癸卯（1903）解元。幼承庭训，书文俱佳。后从邑名士段以先（野史）学，其业愈进。1899年，赵藩归里省亲，见周之诗、书，至为赏识，周师事之。赵为著名书法家，现存之昆明大观楼孙髯翁长联即其手书。周亲炙多年，学书愈勤，颇得赵书之妙。在日本早稻田大学留学时，课余坚持学书；学成归国，在政务纷繁时仍学书不辍。云南辛亥革命后，蔡锷任都督，请周书“光复楼”三字悬于五华山都督署大楼前，颇为壮观。

1931年代龙云书“石林”两大隶字，刻于路南石林，周将石林得名之由，撰文以行书刻于其下，至今仍存。

周之书法，时人尝以“骨气深稳，体兼众妙”称之。

六十军军歌

常绍群

抗战初期，第六十军(滇军)奉命参加抗战。当部队驻武汉期间，卢汉军长与进步人士有所接触，著名作家安娥(田汉夫人)和音乐家冼星海，谱写了《六十军军歌》，其歌词是：

> 我们来自云南起义伟大的地方，走遍了崇山峻岭，到了抗日的战场。弟兄们，用血肉，争取民族的解放，发扬我们护国、靖国的荣光。不能让敌人横行在我们的国土，不能让敌机在我们的领空翱翔。云南是六十军的故乡，六十军是保卫中华的武装！云南是六十军的

故乡,六十军是保卫中华的武装!

这首慷慨激昂、雄壮威武的军歌,由冼星海、安娥亲自教会了“六十军战地服务团”,并传播全军,大大地鼓舞了士气。

滇军血战台儿庄

陶任之

陆军第六十军,是抗战开始时云南首先编组成立的一支劲旅。全军四万余人,1937年农历重阳节在昆明举行誓师大会,随即徒步行军四十余日,于1938年元旦到达武汉,军容整饬,士气旺盛。

1938年4月中旬,日寇开始以主力板垣、矶谷两师团及伪军刘桂堂部约三万余人,再犯台儿庄。日寇此次卷土重来,事前有周密准备,使用了当时所拥有的大量陆空联合作战的先进武器,志在必得。

六十军集结于台儿庄以东之陈瓦房、邢家楼、五圣堂、蒲旺、辛庄、陶沟桥、丁家桥等地区待命。

先是,前线汤恩伯及于学忠部向左右败退,正面形成一大缺口,敌人乘虚以步兵约四五千人,炮三十余门,坦克二十余辆,联合扩大突破口南犯,与我军遭遇。六十军遂在陈瓦房、邢家

楼地区与敌进行遭遇战，继在五圣堂、蒲旺一线进行争夺战，后在禹王山附近进行阻击战。六十军经过二十七天的浴血苦战，全凭广大官兵同仇敌忾，有我无敌的旺盛士气，予日本侵略者以沉重打击。我军伤亡过半。全军原有四万余人，战后只剩两万余人。中上级军官伤亡亦大，计旅长阵亡一人，负伤一人；团长阵亡五人，负伤三人。

台儿庄战役是我军以劣势装备军队对优势敌人作战，其间出现了许多可歌可泣的事迹：一八三师在陈瓦房与敌遭遇时，尹国华营首先与敌接触，敌之搜索部队已进入陈瓦房，并向我尖兵开始射击。尹营长立即率尖兵连奋勇将该敌消灭，夺回了陈瓦房。但敌军后续部队蜂拥而至，以猛烈火力掩护反扑，陈瓦房旋即被敌包围。全营官兵与四面冲入之敌白刃争夺，奋不顾身，营长阵亡，战至最后，全营五百余人壮烈殉国，仅有战士陈明亮一个生还，五百壮士万古不朽！

陈钟书誓死抗日

陶任之

陈钟书，云南安宁人，六十军一八三师五四二旅旅长。1938 年 4 月徐州会战中，在陈瓦房、邢家楼地区与敌遭遇，他指挥部队，先敌一步，抢占这一地区与敌激战。当天下午5时左右，敌有不支模样，陈旅长率队突入敌阵，短兵相接，喊杀之声震天，敌阵大乱，纷纷溃退。此时，忽有敌骑一部绕至陈旅左翼二三百米处射击，陈旅长不幸头部负伤，顿时倒地，终因伤势过重，壮烈牺牲。陈旅长以勇将著称，此次出征，常语同胞："数十年来日寇欺我太甚，此次抗日，我已对家中作了安排，誓以必死决心报效国家。"闻者深受鼓舞。及至牺牲，人皆哀之。

智勇歼骄敌

任　智

1938年4月徐州会战，我六十军一八三师五四二旅一〇八四团在东庄附近战斗。27日午后，敌军调集兵力，其中敌一四五联队黑田寿男部队，续犯我台儿庄正面之东庄、火石埠。东庄为敌攻击之重点，企图从中突破，直取台儿庄。是日傍晚，敌集中火炮数十门轰击东庄、火石埠，我守军隐伏于东庄外面麦田预筑工事内，避敌炮击。当敌人炮击一停，我守军立即进入东庄阵地，作好战斗准备。不久敌军涌至，距东庄约一千米处，敌先以火力搜索，我军隐伏不动。敌进至五百米处，发起冲锋，我仍岿然不动。骄傲

之敌以为我军已被炮火全歼，即蜂拥而进。我军张仲强营行动机敏，俟敌进至五十米处，一声号响，伏兵齐起，轻重机枪集中射击，敌人措手不及，乱成一团。经过一小时激战肉搏，敌军约一个大队几全被我消灭，并虏获轻重机枪二十余挺，步枪二百余支，战刀十五把，其它地图、文件、望远镜、小太阳旗、护身符等甚多。

逐寇出国门

胡 蕾

1941年岁末，太平洋战争爆发；次年4月，日军从缅甸长驱直入，滇西大片国土陷入敌手，遍地硝烟弥漫，人民流离失所。1944年8月，我军开始收复滇西失地，战斗激烈悲壮，死伤无数。9月14日克复腾冲，11月3日克复龙陵，12月1日克复遮放，日军退守滇西境内最后一个据点畹町黑山门。

黑山门山高林密，地势险峻，一条独路经黑山门垭口延伸至畹町镇区。我预备二师担任攻克黑山门的任务。为了在预定日期与新一军、远征军在缅甸九谷一〇五米的芒友会师，我军多次发起进攻，伤亡甚众，均未攻克。随后重新研究作战部署，改变战略战术，将从正面强攻改为迂回敌后，包抄夹击。由一支三十来人组成的迂回小队，在黑暗的密林中，从山右侧插入敌后。结果日军死伤增多，兵力不济，惧我断其后路，将其围歼，丢枪弃尸，狼狈溃退。我军乘胜追击，1945年1月12日晨，一举攻克日军在滇西境内的最后一个据点黑山门。

1月20日，我军全面收复了滇缅公路我方境内的终点站畹町，将入侵日寇全部逐出国门。次日中午，在畹町举行升旗礼。至此，沦陷了二年零八个月的滇西国土，完全光复。

挥泪读残碑

陶　松

抗战期间，滇军新编第三军辖一八三师及新编第十二师，长期在赣北作战，为国捐躯烈士甚多。一八三师师长余建勋在高安村前街、新十二师师长张与仁在高安老虎山，均各建有阵亡将士公墓。历经数十载，村前街公墓已毁；老虎山公墓碑被当地群众造桥拆作桥板，经磨洗辨认，尚抄得部分碑文：

> 日寇侵占武汉、南昌、广州后，恒思打通粤汉线，以达其纵贯南北之目的。民国三十年十二月下旬，南昌之敌，向我发动进攻，狼奔豕突，猖狂若无阻。本师健儿，咸抱必死决心，在莲花山、米峰一带地区与敌周

旋，前仆后继，势不两立，战十余昼夜，卒将顽敌击溃，毙其大队长以下千余人，使不能与湖南岳阳方面敌军会合，完成空前大捷。是役我官兵殉国者六百七十三人，即今累累在墓者也。呜呼，诸烈士为国家民族生存，离乡万里，在艰苦环境中鏖战旬余，卒获胜利，忠勇壮烈，直可惊天地、泣鬼神矣！与仁忝膺师长，未能与诸烈士痛饮东瀛，以慰素志，其丰功伟绩，宁忍湮没而不彰耶？爰收忠骨，葬于老虎山，立贞珉，以利后之景仰云尔，是为序。铭曰：懿欤烈士，气薄穹苍。疾彼丑虏，杀伐用张。未饮三岛，赍志云亡。匡山赣水，万古流芳……

读后，回忆当年战场景况，不禁潸然泪下。

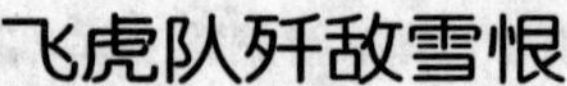

飞虎队歼敌雪恨

赵和甫

1941年，传说美国陈纳德将军率领美志愿空军“飞虎队”将来昆助战，机群由缅甸飞昆。日寇情报弄错了到来时间，于12月18日，派一队轻轰炸机袭击昆明。结果在机场扑了个空，便转飞进入市空，适发现市民疏散人流，阻塞于大东门外交三桥。敌机便对人群投弹并用机枪扫射。一时尸横遍地，血染沟渠，断肢残足，飞掷到附近村舍、树枝上，为昆明自有空袭以来惨绝人寰、遭受伤亡最大的一次轰炸，伤亡达五六百人之多。我所在单位的同事丁仲湘，当日与其妻携五子女向东郊疏散趋避；是日，因为预行警报刚鸣不久，便是紧急警报，逃跑人群拥挤，妻与幼子挤不出东门，丁君及四子女奔至交三桥，遂全遇难，尸骨难寻。类此之事，不一而足。

当天我隐伏在距交三桥不远的吹箫巷底菜地内，相距约数百米外的巷内即中一弹，几亦遇难。午后从山箐防空壕回城，正拟小休，突又闻机声轰鸣，急至楼头觇望，则见铁鹰集队飞来，阵容堂堂，飞速甚急，后来才知是飞虎大队自天而至，不禁额手欢呼。

后来日寇继续派出大批轰炸机、战斗机袭击昆明，而飞虎队早沿滇越铁路上空布下天罗地网，痛歼来犯之敌，先后击毁敌机二十余架，阻止敌机窜入昆明。神鹰扬威，飞贼铩羽，为交三桥死难同胞复了仇，后在很长时间内日机不敢再犯。

陈将军与飞虎队战士与昆明人结下了深厚友谊，当时街头巷尾，老老少少，一见美空军人员便翘大拇指呼唤："老美，顶好！"有人改唐诗"但使龙城飞将在，不教胡马度阴山"句吟道："赖有飞虎雄威镇，寇机不敢犯昆明。"

强渡怒江

冰 泉 遗稿 雷声普 整理

滇西怒江以西，抗日战争中被日军占领，敌我均凭怒江天险为对峙之局。自缅北中、美两军向日军发动攻势后，我滇西部队为策应缅北军事，以期打通滇缅交通起见，特于民国三十三年(1944)5月11日，在沿江二百公里之正面，分路强渡怒江。因准备充分，计划周密，工作迅速完成，殊出敌人意料。

怒江两岸，高山耸立，如遇雨季，山间溪涧奔腾而下，江水暴涨，决难渡过。此次我军得到当地少数民族群众之协助，所有渡江工具，如木筏、木船、橡皮小艇，皆由当地深习水性之民众掌舵，故能履险如夷、安然渡过。

我渡江部队共四个团，由11日晚8时40分至次晨2时许即全部渡完。最先到达者为工兵，一面建筑滩头阵地，一面修理双虹桥，历时二小时三十分，即告竣工。修桥工兵不过一连，于短时间即将双虹桥已毁之铁链逐扣连接，并铺上木板，使我军大队人马通行无阻，功不可泯。

碧血千秋国殇墓

云 崖

1944年夏，我军经过四十余昼夜的激战，光复沦陷了两年多的边城腾冲。此役我方阵亡官兵九千一百六十八人，盟军（美国人）牺牲十四人。战役结束，李根源倡议建立墓园，此倡议得到政府、华侨及地方人士的支持。是年冬，即由李根源主持修建，主体工程于次年“七·七”落成。其后又续修附属建筑，历时三年，全部告竣。

墓园位于腾冲城西南来凤山北麓，占地约八十亩，由大门、忠烈祠、烈士冢、纪念塔等组成。至门，即见“腾冲国殇墓园”题额，端庄凝重。西侧墙面绘卧龙伏虎，象征民族及烈士精神。入门，过松柏夹峙的甬道，达一平台，上嵌石刻“碧血千秋”四字，为蒋中正题。从西侧拾级而上，即达中式建筑忠烈祠，计五间，双檐飞角，雕饰彩绘，雄阔端庄。门额悬忠烈祠匾，为于右任书。坊柱间悬有何应钦、卫立煌、霍揆彰等将领的题联。祠堂正壁为孙中山遗像及总理遗嘱。西侧嵌阵亡官兵名录石刻百方，侧壁还有盟军阵亡官兵名录及华侨捐资芳名录石刻各一方。

祠堂后为一团形山岗，山顶建纪念塔，高约八米。塔身正面及两侧刻“远征军第二十集团军

克服腾冲纪念塔”，背面刻“中华民国三十四年岁在乙酉季夏立”。塔基正面有李根源题刻“民族英雄”，另三面为《腾冲抗战纪要》。烈士冢以塔为圆心，以其生前所属的军、师、团为序列，呈幅射状纵队沿山坡四周安葬，按东西南北四方各筑石级，可上坡顶观瞻。四周松柏漾翠，坡上各种花草点缀其间。伫立坡脚仰视，但见墓碑成排，伸上山顶，纪念塔高耸于大地与蓝天之间，使人肃然起敬。

秦瓒是西南联大迁滇的倡议者

林南国

秦瓒原籍河南固始，1920年北洋政府招考官费留学生，全国录取七十二人，以他分数最高。秦瓒赴美国哥伦比亚大学法学院经济系学习，1926年毕业得硕士学位，回国后受聘为北京大学经济系主任。抗日战争爆发后，北大、清华、南开三大学迁长沙成立临时联合大学，上课半载，日军逼近武汉，当商讨再迁时，秦瓒提议迁到昆明。因其父秦树声在清末任过云南提法使(原名按察使，清末改称)，秦瓒七岁时就来过云南，对云南四季如春的气候和滇池风光都很了解，认为云南不仅风景如画，而且是高原山区，日军不易进犯。三个大学的校长，采纳了这个建议。1938年底,秦瓒任先遣队长,首批到昆,筹建西南联合大学。当时因敌机空袭频繁,校舍盖成简易草房。俗话说“茅屋出公卿”,而西南联大是“草屋出人才”。八年间为国家培养了不少人才,在坚持抗日、民主方面也都作出了重要贡献,有“民主堡垒”之称,对促进云南文化教育之发展,起到了很好的作用。现在西南联大毕业的同学很多已成为杰出人才, 分散在全国各个工作岗位上,在台湾、美国工作的也不少。在科技方面作出杰出贡献、获得诺贝尔奖的杨振宁、李政道博士等都是在西南联大毕业后到美国的。

抗日战争胜利后,北大、清华、南开三校迁回北京、天津,秦瓒留在云南大学任经济系教授及云南省经济研究所顾问, 继续对云南的教育及经济工作尽力。

西南联大的校歌

杞 人

1938年2月, 由湖南长沙西迁昆明的国立西南联合大学,是抗战时期大后方规模较大、人才荟萃、号称“民主堡垒”的有名大学。

当全国上下一致奋起抗击日本帝国主义侵略的时候,西南联大师生,同仇敌忾,发奋图强,为国家培养了人才,为抗战作出了贡献。其调寄

《满江红》的《西南联大校歌》,充分反映了当时师生们的爱国主义精神和悲壮情怀。歌词为联大师范学院国文系教授罗庸作,张清常谱曲,其词云:

万里长征,
辞却了五朝宫阙。
暂驻足衡山湘水,
又成离别。
绝徼移栽桢干质,
九州遍洒黎元血。
待笳吹弦诵在山城,
情弥切。

千秋耻,终当雪。
中兴业,须人杰。
便一成三户,壮怀难折。
多难殷忧兴国运,
动心忍性希前哲,
待驱除寇仇复神京,
还燕碣。

修筑中断的滇缅铁路

刘　明

1938年,滇缅公路通车后,抗战物资从仰光用火车运到腊戌,再装上汽车,源源运往昆明。

但是，由于公路运输消耗高，运量有限，加之路面不好，汽车常拥挤受滞，历时需一个多月才能抵达昆明。为此，国民党政府决定修筑一条铁路。经比较，铁路线选定由昆明到云南驿，转弥渡，经南涧，过澜沧江、云县、镇康、孟定入缅甸滚龙接腊戌。全长八百多公里，比滇缅公路少一百多公里。1938年，中英美三方会商，签订了由美方贷款七千万美元，中英两国合作修筑铁路的协定。

1939年4月，国民政府交通部成立了滇缅铁路工程局，任命曾主持修建沪宁铁路的杜镇远为局长。下半年，工程局边勘测，边分段招工开工。当时，云县至孟定一段，是荒无人烟的瘴疠之区，工程局从通海、河西、大理、下关、祥云、弥渡等地招来的工人，因难以适应亚热带气候，许多人没过多久，便病死于潮湿肮脏的工棚之中。

1940年，日军占领越南、老挝、柬埔寨等国，缩小了对我国的包围。为加快工程进度，交通部撤消了工程局，改设督办署，派广东人曾养甫为督办。1941年底，正当铁路南段接近铺轨时，珍珠港事件爆发。接着，日军侵泰国，控制了西太平洋。1942年1月31日，日军占领缅甸港口毛淡棉，切断了仰光到腊戌的铁路运输线。这样，修筑滇缅铁路已无意义。国民政府旋即下令停工，全部员工北上赶修中印公路。中缅铁路自此夭折。

抗战时期的昆明书店

李孝友

抗日战争爆发后，随着大部分国土的相继沦陷，一些著名大学内迁，国内经济文化中心南移，文教界人士云集昆明，特别是滇黔公路和滇缅公路通车，昆明一变而为后方重镇。与文化教育事业息息相关的图书事业蓬勃发展，书店林立。据当时政府档案资料记载，抗战八年中，昆明市人口共计二十三万人，开业的书铺及书摊约七十三家，从业人员二百余人，比抗战前的十二家，增长了六倍。这些书铺及摊点，分布在市内几条大街上，而以光华街、华山西路、华山南路、武成路一带为多。书铺鳞次栉比，网点稠密，形成了省内图书贸易的中心，并开始流通革命书刊。李公朴及其岳父张小楼设在北门街的"北门书屋"及"北门出版社"，就印行和销售过曹伯韩著的《民主浅说》、光未然整理的彝族叙事诗《阿细的先鸡》、赵沨著的《名曲解说》、艾青的《献给乡村的诗》和《人民的歌》、曹靖华译的《保卫察里津》、楚图南译的《枫叶集》等。专门销售进步书刊、传播革命思想的书店是华山南路的生活书店、读书生活出版社、新知书店，读者众多，业务发达。孙起孟主办的进修教育出版社，

也行销进步书籍，还发行曹伯韩主编的《进修月刊》。孙仲宁创办的康宁书店，也购销苏联外文局及延安出版的书刊，深受进步青年欢迎。大量书店的出现，不仅使昆明图书业阵容为之一新，打破了长期处于封闭状态下的沉寂，同时也促进了云南及西南地区图书事业的发展。

至于旧书店，则集中于光华街及云瑞西路。如华世尧的琴砚斋，陈松年的瑞松阁，窦少怀的五华山房、古今书店等。其他像三橐街的任发科旧书摊，卖线街的李氏父子也经营古旧书。这些古旧书店，对收访流通四部典籍、地方志书及地方文献等均作出过一定贡献。

袁嘉谷步韵《圆圆曲》

李孝友

昆明北郊的商山之麓，莲花池畔，有吴三桂为陈圆圆修建的安阜园。过去这里有一块比丘尼像碑，今已不存，陈迹苍凉，引人凭吊。

清初诗人吴梅村写了《圆圆曲》，流传广远。光绪癸卯(1903)进士、试经济特科、以第一名入选的云南石屏县人袁嘉谷，也曾用吴梅村诗原韵，撰有《圆圆曲》一首，诗云：

> 菩提衣艳彩云间，风雨吴宫昼掩关，滇土荒丘埋赤血，吴宫故事忆红颜！红颜惯惹游蜂恋，百丈野园朝夕宴。老濞传声唤未

来,阿娇不肯频相见。五华山麓神仙家,飞舞杨花又柳花。上元巧盘三角髻,灵芸合坐七香车。梳妆台筑二三里,城北丽云丛若绮。生怕汉宫故扇损,早防秋日凉风起。和南愿启妙明心,下界偏滋清净水。可怜老濞欲雄飞,雄飞南望不得归。巾帼同污汗青简,袈裟幸换绿罗衣。忆昔扫眉入宫掖,残香不动君王惜。朝阳云冷籍中人,洛川霞映筵上客。筵上客醺日斜暮,英雄面目私衷诉。潜夜翻笑红拂迟,误曲那烦周郎顾。三军飞到星火书,一去不接桃叶渡。入门有马金粉愁,坠楼无珠石崇误。月缺容易月圆难,降贼怨贼计不安。乐昌破镜知消息,愿返蛾眉镜里看。招降使者关前死,剑气冲霄夜已阑。荆山鼎杳持龙泣,华表家亡化鹤还。怒师直从片石进,蓟北山西先后定。箫鼓迎回掌上珠,旌旗坐取腰间印。秦雨蜀烟兵不扬,山梯岭栈妾同乘。金碧封分桃叶圭,风尘愁老菱花镜。菱花镜照黑甜乡,空门晚迹冷于霜。商山葬玉坟三尺,过客寻香泣数行。罗裙羽化新蝴蝶,锦瑟声稀古凤凰。金错刀空投彼美,玉钩斜莫吊前王。呜呼奸雄为色累,倾国之身非文致。红妆脂腻白骨灰,诛心祭酒诗律细。艳曲写生妙入神,奸雄愧死容无地。夙和诗品价连城,邮寄千金请削名。一生君父昧大义,千秋儿女讥私情。情乎已矣人何外,靡芜草碧藓苔

青。君不见：良玉勤王家不宿，官人刺虎死亦足。话到沧桑数闺阁，彤史光掩仙云绿。和歌为写圆圆曲，艳迹空传古梁州。兴亡两代系一女，吴宫花谢吴江流。

吴、袁二人异代不同时，但均工诗。吴有《梅村家藏稿》，袁有《卧雪堂诗集》传世，俱以咏史诗叙陈圆圆与吴三桂旧事。梅村诗侧重写吴三桂引清兵入关；袁氏则侧重叙老濞云南开藩，而又以陈沅为主线，贯串全诗，创作手法各有不同。梅村诗云"妻子岂应关大计，英雄无奈是多情"；袁诗则强调"一生君父昧大义，千秋儿女讥私情"。既是谴责，也是慨叹。

士林红豆相唱和

承 枢

我国自宋元以后，出现了不少私人藏书楼。在内地私家藏书风气的影响下，云南也相继产生了不少私人藏书家，其中庋藏颇丰、声名卓著者，当推民国年间晋宁方树梅（臞仙）的"学山楼"和建水梁之相（书农）的"廾万卷楼"。前者着力收藏整理云南地方文献，以滇人著述之书为庋藏重点，全国著名版本文献学家傅增湘曾为之题额悬于楼头；后者喜藏古籍善本、元明旧镌，每遇好书，经其鉴定，便写有题跋，并署名钤盖“古滇梁氏修竹山农鉴藏善本”印章，曾受“通学斋”主人孙殿起称誉。

方、梁二氏不仅善藏书，而且善吟咏，相互交谊亦深。方臞仙常以嗜书自称“滇癖”，又爱好广收红豆。一日方至梁宅造访未遇，乃于案头遗红豆四粒，题诗四章，诗云：

满县桃花手种之，政成身暇寄相思，
深情多谢曲江叟，自笑痴人情更痴。

千秋绝唱王摩诘，佳话钱家与惠家，
谁识顺宁赐腊产，珠光夺目剧堪夸。

根深道远哪能移，播种黉学圃宜，
他日开花新结子，张筵邀赏古滇池。

骚人分赠为情长，附柬征题重表扬，
裒刻滇南《红豆集》，相思艳说彩云乡。

并在诗的前面附“识语”云：“张认庵宰顺宁，托访红豆，得数十粒邮来，珠光夺目，欣玩不已，以双粒种学圃，余分赠知交，征诗表扬滇产。”借此请梁氏作诗为和。

梁书农归见，即依方诗原韵以和：

高踪枉顾失迎之，红豆新诗遗所思，
伸纸开缄无限意，几回看读几回痴。

四粒珠光映碧纱，相思千古在谁家，
多情最是方村友，学圃种来艳足夸。

岭南风物何时移，泸水沧江土亦宜，
若效唐人争作赋，墨花彩笔照滇池。

臞翁风雅更心长，征咏诗篇海内扬，
待得相思成集后，深情应寄水云乡。

方梁红豆唱和诗，看来红豆不仅生南国，滇中亦有。借滇中所产红豆抒发热爱桑梓、热爱乡邦文献之心。披览玩读之余，深感诗作不仅写得情真意切，而且境界深远，别具一格。

大观楼长联及孙髯翁

陈开国

五百里滇池，奔来眼底。披襟岸帻，喜茫茫空阔无边！看东骧神骏，西翥灵仪，北走蜿蜒，南翔缟素。高人韵士，何妨选胜登临。趁蟹屿螺洲，梳裹就风鬟雾鬓；更苹天苇地，点缀些翠羽丹霞。莫孤负四围香稻，万顷晴沙，九夏芙蓉，三春杨柳。

数千年往事，注到心头。把酒凌虚，叹滚滚英雄谁在？想汉习楼船，唐标铁柱，宋挥玉斧，元跨革囊。伟烈丰功，费尽移山心力。尽珠帘画栋，卷不及暮雨朝云；便断碣残碑，都付与苍烟落照。只赢得几杵疏钟，半江渔火，两行秋雁，一枕清霜。

孙髯翁撰写的这副昆明大观楼长联，两百多年来一直为海内外传诵不绝，誉为“古今第一长联”。

这副长联，上联写景，下联咏史，联语内容和艺术形式皆美，辞意尤为典雅，不愧为我国楹联宝库中一颗璀璨夺目的明珠。清代吴仰贤评为“铁板铜琶镗鞳声，髯翁才气剧纵横；楼头一百八十字，黄鹤题留万古名”。清末，刘润之在《滇南楹联丛钞》跋中誉此联为“大气磅礴，光耀宇宙，应推第一”。近人陈荣昌、袁嘉谷、毛泽东、郭沫若、陈毅等均有好评。

孙髯，字颐庵，原籍陕西三原人。生年不可考，以“生而有髭”，故以髯名。康熙间，随父来滇，不仕。遁迹昆明，终生为一寒士，自号“万树梅花一布衣”。清康熙三十五年(1696)，云南巡抚王继文建成大观楼，诗人墨客登临吟咏，孙撰长联，“从古未有，别具一格”，于是声名大著。

髯翁家住昆明圆通寺后咒蛟台，以卖文卜筮维持生活，自称“蛟台老人”。直到年迈体衰，到弥勒依女生活。乾隆三十七年(1772)病卒，葬于村东。1914 年，弥勒地方官绅民众重修孙墓，刻碑“古滇名士孙髯翁之墓”。

程铁匠题联太华寺

杨秋韵

宣统年间,昆明有个叫程天元的铁匠,在昆明学院坡脚开铁匠铺谋生,颇通文墨。他为西山太华寺作了一副对联,自己书写,用铁皮打制,悬于寺内。联云:

黄衣乃圣,叔季乃贤,嗟乎先后同悲矣!我要把太华山两指捻起,正好是电闪雷鸣,云翻雨覆;

廊庙奚荣,林泉奚辱?然则何时而乐耶?尔应将滇池水一口喝干,方显得山高月小,天朗气清。

由于他出身低微,当时文人见了都笑其狂妄。入民国后,程天元无意中为滇南巨匪吴学显修理过枪械,被唐继尧指为通匪而枪毙。

铁匠能文就奇,能撰出这惊人之联更奇。

李灿高撰联述志

雁　寒

卖书画换酒　与世界同春

此联风姿潇洒，落落大方。撰联者李增，字灿高，云南澄江人。辛亥革命后任云南省议会议长。参加过云南人民向英法争回七府矿业权的斗争；护国运动中，举办“护国演说社”；护国运动后，被选为国会众议院议员。1924年国会解散，隐居于昆明小东门外灵光街薛家巷九号，卖书画自娱。联语表明了他的志向和乐趣。

近日楼楹联汇志

罗养儒　遗作　王　樵　整理

昆明南城为丽正门，城楼上悬有大匾“近日楼”，乃清康熙时云贵总督王继文题，通海阚祯兆书，铁画银钩，魄力雄壮。

民国十三年(1924)，地方当局拆去丽正门之左右两边城墙，独留一城门鼓楼，并加以修葺，楼上最高层，仍悬“近日楼”匾，加以金漆，极壮观瞻。旁则悬挂省长唐继尧集汉《西峡颂》十六字联，联云："高阁朝阳，寅宾出日；远部趋化，徒骑连云。"旁有周钟岳集联，联云："目极云峦自高峻；步登城阙聊回翔。"

楼之下层，中悬"护国纪念博物馆"七字横匾，旁悬"解愠阜财"四字斗方，并有题联多副。袁嘉谷题联云："东西双塔，金碧两坊，云灿星辉，光于中夏；烟火万家，湖山千里，忧先乐后，式足南邦。"由云龙题联云："汉龙撤卫，日雉销声，怅万里神州，端赖南天擎一柱；金马东骧，碧鸡西翥，看四围山色，都呈佳气拥层楼。"吴琨题联云："日月丽中天，双塔面临文笔秀；关山雄万里，五华背枕彩云多。"王九龄题联云："星映滇海情，两汉名邦谷昌县；日近长安远，五云深处筹边楼。"张维翰题联云："金石铭勋，聿昭正义；楼台揽胜，克壮大观。"又集班孟坚《两都赋》云："烟云相连，廊开九市；街衢阔达，旁流百廛。"李子猷题联云："铜柱巍峨，金汤巩固；商旅辐辏，民物雍熙。"张学智题联云："烟火万家，一楼俯瞰中外；云山四面，双塔远峙东西。"

尚有多联，未能记忆，仅此亦琳琅满目，故志之。

鹤庆云鹤楼联

唐仿寅

鹤庆城中，一楼翼然，跨街而建。楼下券洞贯通南北大街，南向为商业贸易市集中心，北为政府治所官廨。此楼有总领江山之势，好似云中一鹤，故名云鹤楼。其前身名“安丰楼”，始建于明正德九年(1514)，后因火毁，清光绪二十七年(1901)就原址改名重建。此楼南北均有对联，楼上还有吟咏题刻，南方一联为清进士甸南杨金和撰，联曰：

小结构到底何奇？想洞纪龙眠，石传象跪，诗题竹树，果证菩提，为儒为释为帝王，蕞尔微躯，其中大有人在。

真逍遥当前即是：看朝霞虹映，夜月蟾辉，宝岭秋光，漾江春色，好山好水好景物，取之不尽，此外匪我思存。

上联系指鹤庆史迹，首为明初建文帝逃出南京后，曾匿居鹤庆西区牛街溶洞，后得名为龙眠洞。次为元初忽必烈革囊渡江，南下灭大理，由丽江所骑白象，到鹤庆甸北一片狼牙剑齿石上跪下不走，故名象跪石。三是明代杨升庵、李中谿曾到甸北密箐大龙潭观测潭中竹枝所生梅花奇景，并沉绳六十余丈以测潭深度，事后题

"澄潭竹树"四字,并作绝句两首。联中"果证菩提",系指西域僧赞陀崛多(一作牟加陀)到鹤庆城西南迎缉村植树,凿井而驻锡鹤庆。凭其高超水利知识,指导群众,将原来的汪洋泽国开发成鹤庆坝子,以便人民耕织安居。

下联描述鹤庆较为突出的四种景色。全联中心在于:地方虽小,史迹风景却多,盖用以激励后人努力上进。

高竹秋书写妙联

顾　峰

高竹秋(1896—1979)是滇剧著名票友,每次登台演出,均以"挽君"挂牌,抗战前上海百代公司和胜利公司先后来昆明录制滇剧唱片二百多张,他就录了二十八张,远比其他演员为多。1936年后,他以昆明城乡现实生活为题材,写了四个现代戏剧本,自编自导自主演,久演而不衰,很受观众欢迎。

他是一个多才多艺而有广泛爱好的艺术家,他的书法学康南海,写得几能乱真。1946年秋天,我去看他,他正在家中聚精会神地写对联,联云:"孙总理入室弟子;梅博士架桥先生。"口气很大,联语惊人,我问他:"何人所作?"他说:"是写我的亲身经历,你不信吗?"

原来他在1923年欲去上海学演电影，就乘滇越铁路火车到达海防，遇上易崇基先生。易劝他改去广州，因那里的滇军都支持孙中山，可去谋个职业。于是高竹秋改赴广州，在滇军里当了文书，后来黄埔军校招生，他考上了，孙中山和周恩来、恽代英等常去授课，这便是“入室弟子”的由来。

高竹秋在军校毕业后，并不愿当军官，仍回滇票戏。1932年，变卖了部分财产，到外省游学，在成都学做麻婆豆腐，后转到上海，看了梅兰芳的演出，就到寓所拜访梅先生。梅虚心好学，问起滇剧的唱腔曲调。高竹秋连讲带唱地作了介绍。梅先生感到“架桥”很像京剧的“四平调”，但又有一些特殊风味，其中有叠句，又加锣鼓伴奏，穿插舞蹈身段，演出效果一定很美，因而问得很仔细，高竹秋就唱了又唱，梅先生也跟着哼了又哼。这段艺苑奇缘，高竹秋颇为惬意，常在闲谈中提及，因而写入联中。

云南的第一部电影《护国讨袁》

万寿康

1923年，云南督军唐继尧请香港友谊电影公司来昆明拍摄过一部关于护国军的电影片，片名叫《护国讨袁》，这是云南的第一部电影。据已故教育总长王九龄、第一集团军副总司令高蕴华提供的情况：唐当时是护国军的都督，第一军总司令为蔡锷，率三个梯团出四川；第二军总司令为李烈钧，率两个梯团出广西、广东；唐自兼第三军总司令，留守云南。影片中蔡锷由军需处长孔星五扮演；李烈钧由咨议厅长陶凤堂扮演。都督府中，除秘书厅长由云龙是由本人参与拍摄外，其他要人不能代替者多拍背面。昆明五华山光复楼，是当年唐、蔡、李召集罗佩金、黄毓成、张子贞等三十八人连夜开会、商谈护国讨袁的地点，大营门外挂块“都督府”的大木牌，有两个卫兵持枪站岗。还拍了都督府会议室和外景。在巫家坝则拍摄唐、蔡、李护国誓师大会及阅兵仪式。在影片中可以看到，当时以翠湖边的讲武堂（今科技宫）为第一军总司令部，以拓东路迤西会馆（今拓东第一小学）为第二军总司令部，以双塔寺农业学校为第三军总司令部，三处都各挂一块大木牌，有两个卫兵持枪站岗。士兵寝室，则拍摄讲武堂的学生宿舍。野外则以洗马河（今翠湖南、北路交叉口）石栏外为背景，并临时用讲武堂从日本购买来的工兵器材架设一道桥梁，士兵由四行变成单行通过。又选岔街为出兵处，部队通过，男女学生同群众列队欢送，高呼口号，惜为默片，听不到声音。

这部电影还拍摄了昆明风景名胜，如西山龙门、金殿、黑龙潭、大观楼等处，最后为聚奎楼（状元楼），特意显出“大魁天下”的楼亭，初只见一人小影倚栏瞻望，继为放大镜头，才见清末经济特科第一名袁嘉谷阔步下楼，昂首过街而行，以作此片之结束。

刘明德编《子和赠金》

道　远

腾冲刘明德(1889—1985)先生是一位辛亥革命老人。清末，张文光(1884—1913)在腾冲从事反清革命活动，刘明德在当小学老师，后曾参加革命，张文光派他赴龙陵发动起义。他带领同志深入清军营内，用智谋策动了营管带举兵反正，龙陵得以光复。张文光派刘掌管龙陵军政大权，刘说："我当不来官，还是去当老师。"张只好同意，刘明德就一生从事教育工作。

刘在年轻时会唱滇戏，民国初年曾写过一出现代戏《子和赠金》。子和是黄毓英的字，黄系会泽人，清末留学日本，曾加入同盟会。1907年由缅甸回滇宣传反清革命，路过腾冲，得知张文光亦从事反清活动，慕其志向，往访未遇，乃赠银五十两，留张家而去。文光归家，坚不受银，乃追到橄榄寨，璧还子和，黄亦不受，相互推让，状至感人。这是实情，也是剧情。此剧在腾冲多次由戏班演过，可惜剧本未存，但刘老还能唱上两段，洋溢着革命者的战斗豪情。

王灿书联挽滇剧红生刘海清

李　嘉

王灿，字惕山，昆明人，清末曾留学日本，民国时，任云南省高等法院院长多年，为官清廉，循声丕著。晚年辞官，居家著述，精通音律，喜弹古琴自娱；嗜爱滇剧，亦能清唱几段。1947年秋，曾编五场古装戏《家国恨》一剧，写明末昆明侠女杨娥谋刺吴三桂事。剧本编成，王氏自筹资金，分约演员，组织排练。在金马彩排茶室公演时，观众异常拥挤。《正义报》曾在文艺副刊上连载这个剧本。

同年岁末，忽闻著名滇剧红生刘海清（1880—1947）病逝，王氏悲痛欲绝，乃书写挽联哀悼。联云：

影事忆开元，歌管场中如子少；
衣冠感优孟，落花时节吊君来。

刘海清的红生，端庄大方，气度宣宏，把关公演得既英武而又儒雅。当年川剧名老生魏香庭曾听过他讲述演关羽的诀窍是："头顶千钧，足踏泰山，在万马营中，如入无人之境。"1946年，上海著名京剧红生，人称"活关公"的赵如泉，曾看过刘的演出，甚为称赞，叹为观止。刘之病逝，王灿感到十分惋惜，认为是滇剧界的莫大损失。

滇剧改革家高竹秋

胡以钦

滇剧票友高竹秋，艺名挽君。其兄高荫槐任第一集团军副总司令，故多称高竹秋为“三老爷”，很难得在官场中碰到，而在滇戏院或堂会的舞台上，则可常常看到他。

抗战时期，外地形形色色的人物，大量流入大后方的云南，省会昆明随即繁荣热闹起来，逐渐成为纸醉金迷的花花世界。挽君就在那时推出了他自编自演的《黑海明灯》、《新探亲》、《一碗虾仁》等新编滇戏节目。他曾自演“烟鬼”，在舞台上，他唱出自染上了鸦片烟瘾后，最初沉溺于“过瘾”的“舒适享受”，在烟榻上欣赏他那些镶上珠宝的华贵烟具而感到飘飘然的乐趣，一直唱到自己因吸毒深，好吃懒做，坐吃山空，卖尽当光所有家产，只得借贷度日，“借不着我就伸手过偷”，直到，“油干髓枯”，倒毙街头的全过程。他把鸦片烟鬼的形象，表现得淋漓尽致，令人对鸦片烟的流毒深恶痛绝。他在《新探亲》里，扮演一老农入城看望女儿，当他看到女儿穿着“玻璃丝袜”及高跟鞋时所唱：“儿穿一双鞋，抵得一斗米，儿穿一双袜，五挑柴有余。在乡间照样过得去，学什么摩登有什么益。要有本事才争

气，专‘绷’面子算不得稀奇。”他的这一大段唱词，无一不是针对奢侈风气的鞭挞。

昆明花灯高台戏

戴　旦

抗日战争第二年，我因神经衰弱严重，疏散在昆明郊区二十华里外的金家村。村子不大，又多半是穷家小户，村灯会却办得出色。灯会头是个孀妇，近五十岁，人称彩玉家嫫，终年穿草鞋，还抽叶子烟。

1940年春节，彩玉家嫫为了让人看上抗战花灯，约请昆明一个灯班到村里演出。灯班唱的是高台花灯，众人支持，搭了个高台，虽不算十分讲究，但从金家村情况来说，已经是尽力而为。用崭新的木板，还分出了前台、后台，新制了挂图、对子，因而引得村人络绎不绝前往观看。村董金元出现在戏台前，问明是唱花灯，他便闯到彩玉家嫫家里，问道：“这戏台要唱什么戏？”彩玉家嫫说：“唱抗战花灯，灯班希望搭个高台。”金元又质问：“你可是要地翻天？你不知道‘乡规’吗？”最后，哼了一声，命人将台子拆掉。

为什么说“地翻天”，又为什么扯到“乡规”，彩玉家嫫摸不着头脑，便向村灯会一位名丑——六三老爹讨教。六三老爹谈了一桩往事，原来昆明花灯一向是“滚烂泥塘”，未曾登上舞台，几次要想唱高台花灯，都被拆台。民国十年左右，他扮演《皮秀顶灯》中的恶婆娘，突然一声大呼：“你给我跪下来！”将欲跪下，忽有人上台狠狠打他一个耳光。回头一看，原是财主金旺。他正要问话，金旺大叫一声：“地翻天！”便冲出灯场。随后，村里一些头人都说：“花灯上高台，汉子要提婆娘鞋。”为此，曾订立“乡规”不许花灯唱高台戏。直到1949年云南和平解放，金家村欢度第一个春节，才开始演唱高台花灯，足足唱了一个月。

洞经音乐

李　瑞

洞经音乐，为云南清代流传极广的民间音乐。有谓始于元代镇守云南的梁王，有谓自明永乐七年(1410)，由四川传入大理，后传到昆明。

康熙己酉(1669)，昆明大旱，爱好“洞经”音乐的人，在昆明北郊龙泉观弹奏，参与祈雨。恰巧碰上天降霖雨，云南巡抚王继文借此夸张其事，向朝廷奏报，把降雨说成是演奏洞经的结果。康熙皇帝便御题“霖雨苍生，保黎民众庶”几个字，赐给龙泉观，并赐洞经会名为“保庶学”。

同时在云南藩台衙门里，八房（相当于现代的科）师爷们组成了一个“宏文学”。乾隆年间，出现了同人学。从此，洞经大兴起来，遍及云南各地。到民国年间，仅昆明一地已发展到八个学的洞经组织。

过去，音乐家聂耳曾经记录过一些洞经曲牌，并用其中的《新老卦腔》改编成《翠湖春晓》乐曲。抗战时期，古筝演奏家赵玉斋也曾记录《南北扮妆》两个大曲，整理后发表，并经演奏。

丽江的“江边调”

段松廷

在金沙江边的丽江县石鼓、巨甸、塔城、龙蟠、金庄一带，青年男女最喜欢到江边的沙滩上、柳荫里对唱“江边调”。

“江边调”是金沙江畔汉族和各族人民喜爱的民歌小调，用汉语演唱，其声调婉转，悠扬动听。歌词浑然天成，毫无雕凿痕迹。内容以情歌为主，且多用白描和比拟的手法，情真意切，坦率奔放。如男唱：

隔江海棠开成荫，心想采花怕水深；丢个石头试深浅，唱支山歌试妹心。

双黄蛋里双黄鸟，同是两个命一条；长江水涨鱼分路，只分路来不分心。

这就表明"哥有情来妹有意",不久就会结成百年之好。如果双方中已有一方有了意中人或其他原因而不能相爱时,调子中便会唱出哀怨之声,如:

大河涨水河浪沙,一只金鲤一只虾;虾已跟随金鲤去,只怪阿哥(妹)双眼瞎。

隔山喊你山答应,隔江喊你水又深;死没良心长江水,隔断那边有情人。

靠江边调为媒,千百年来,隔江两岸的多少有情人成了眷属。当然也有人望穿秋水,留下无尽的哀伤,然而江边调却世代相传,越唱越有味。

据说,江边调属古乐府中的"巴歈调",是古代的汉族民歌。

原来,金沙江边的巨甸、石鼓一带是丽江最早开发的地区。它是南方"陆上丝绸之路"的交通枢纽,隋唐以来,又是朝廷抵御吐蕃的边关。历代王朝都在这里屯兵戍边,曲调也随之而来。后来这些官兵逐渐转化为民,融合在当地民族中,"巴歈调"也就在这里扎下了根。

黄洪的《迎春曲》

孙维骐

《迎春曲》是由黄洪先生遗作出版委员会编辑的一本歌曲集,1946 年 5 月 26 日出版,共二十三首。作者黄洪(1924—1946),广东阳江人,酷爱音乐,造诣甚深。他为儿童写的歌,当时在昆明等地尤为流行。

黄洪的创作生涯是从抗战时期开始的。1944 年 2 月,他和孙慎先生在柳州业勤学校教书,生活虽很清苦,但精神却十分愉快。他为了配合教学,先后写了《铁木儿队歌》、《寸土运动歌》、《一步运动歌》、《我问你》、《比一比》等歌。同年 5 月,适值湘桂撤退,业勤学校停办,他就转到军队办的怀远小学执教,学生都是无家可归的难童。学校迁至六寨,孙慎要去贵州,黄洪写了《祝福》相送。后来六寨也成了前线,黄洪带领一群孩子转到安顺。他不辞劳苦,办了一个油印刊物《怀远小音乐》,从编辑到印刷、发行都是他一人。这时他的创作较多,有讽刺歌《假人》、《牛角洞》等;抒情歌《牧童与少女》、《花》、《新山歌》、《挑夫曲》、《老婆婆》、《糊涂的国王》等。黄洪对理想的追求甚切,写了《晨歌》、《迎春曲》等,迎来了抗日战争的胜利。

1945 年 8 月,他离开安顺来到昆明,在中华小学工作,直至他于 1946 年 5 月 10 日逝世。为工作需要,他先后写了《升旗歌》、《国语运动歌》、《谁喊你小先生》、《儿童生活团歌》、《把知识带出校门》等曲子。后因学校经费困难,曾发动演剧筹款,他积极参加准备演出《幸运鱼》。由于工作太忙,他只写了一支《感谢幸运鱼》,还未写完,因病医治无效,便永远离开了人世。

他能在抗日战争的艰苦环境中，不过三年光景，就写出了二十三支歌曲，既是抗战烽火中的呐喊，也是对少年儿童的热爱。

浑不似

善甫

近来被誉为“中国百绝”之一而在广州展演的纳西古乐，虽说是边疆民族的特有乐种，实乃古代中土音乐之孑遗。无论其乐器、奏法、风格及曲牌，都不难辨识其渊源之所自。大概在明末以“洞经”形式传入丽江之后，便被奉为上国礼乐，谨敬护持，未敢彻加改易。加以边地宁谧，绝少外来音乐或情志的干扰，所以更能较为完整地保有中土古乐的原貌。

五十年前，我曾将宋张先咏白莲的《水龙吟》词，套入纳西古乐同名的曲谱中，竟能大体合奏。当时我还曾央几位女教师，在乐队伴奏下演唱，居然别出韵致。像唱到“记小舟夜悄，波明香杳……”诸句时，果然大有风清月堕的意境，颇得听众首肯，因而它之被认作古乐的活化石，在当地是少人置疑的。

演奏这套古乐的乐器，大多为常见的故物，独有一样不常见。它形似琵琶，而材简制粗，腹腔深仄，共振沉洪。拨弹起来，每作“咕咚咙”的

和声。因而在纳西语呼之为“谁咕嘟”(拟音,土语意近“铁胡桃”)。它音色重拙,在合奏中,仅用以弹出每拍的首音,其作用有如一面多音程的鼓。在诸般南国清响中,独它蹒跚其间,虽显梯突,但又别有一番“妩媚”。

在汉语里,此物尚无确称,有人管它叫“胡拨”,有人又叫它“浑不似”,据说来自一段动人的传说:

当文成公主动身赴藏之前,心想远适异域,何得再有丝竹之欢?于是贸然把自己心爱的琵琶也砸碎了。等走上漫漫长途,荒凉莫奈时,才又绘一略图,命随从人员设法制作一领琵琶。但漠漠高原,从何觅得乔干!便只好勉强找棵瘦树,就其整体刨刓成胴,再蒙上肠衣,张上四根皮弦,做好呈上。公主试予调弄,虽还成调,毕竟迥非前响,乃叹说:“看来浑不似琵琶!”因而,它便被沿呼为“浑不似”了。故事未必可信,但因材作器,本符常理,且情趣宛尔,故乐信而录之。

在往昔侪辈中,善弹浑不似的,而今就仅余和福高老者了。去岁他曾以正在拥弹此物的照片见寄。白头哑对,未免感怀,乃题“一曲浑不似,千载有余情”两语报之,闻他读之慨然,谓将刊诸墓门云。

纳西族作家李寒谷

李鉴尧

李寒谷(1914—1952)是纳西族文学史上第一位写白话短篇小说的进步作家。1936年毕业于北平中国大学文学系，有比较坚实的中国传统文化的功底，受左翼文艺运动的影响，十分敬重鲁迅先生和热爱苏联文学。他先后在《国闻周报》、《文学》、《文史》、《文艺季刊》等刊物和《中国的一日》(茅盾编)上发表短篇小说《雪山村》、《凤凰岭》、《虎跳峡》、《三月街》、《诉讼》、《动》、《变》等作品，愤怒鞭挞了官、绅、兵、匪相互勾结，残害人民的罪恶，热情讴歌了劳动人民的反抗斗争。在人物塑造、写景状物方面也有独特的艺术魅力，他的作品至今仍给人以教育作用和美感享受。

我与他是甥舅关系，经常同他接触，我走上从事文学工作的道路和他的思想影响分不开。我在他家第一次读到鲁迅的《阿Q正传》和高尔基的《我的大学》。他还给我讲解鲁迅对阿Q“哀其不幸，怒其不争”；讲辛亥革命反封建的不彻底，帮助我理解这部不朽的著作。我的母亲也有一定的文化水平，记得有一次当着我问寒谷舅舅：“你小说中的向二爷就是父亲，我们家‘使女'的名字你也写进去了,你这样做对吗?"他听了放声大笑起来,说:"是的,我是把父亲当地主的模特儿啦!"可以看出他小说中的人物形象是有生活原型的。寒谷舅舅在丽江三仙沽养病时,在他庭前柱子上写了一副对联:"孔北海杯中,一盏不空,当效法好客风气;高尔基笔下,千里如泻,应学习写作精神。"在书房门上写联"抱病七年,尝尽人间辛酸味;离家十载,读遍苏联小说书",确是他生活和写作的自白。

文艺沙龙

马子华

"五四"以后,新文化运动在云南兴起。与此同时,革命空气也弥漫云岭上空。中国共产党与共产主义青年团也就在此期间建立和发展,学生运动和群众运动此起彼伏。就在这时,很多社团纷纷成立,多属文艺性质,如云波社、翠湖之友社、青年读者会、滇潮社、女声社等等。除了滇潮社是云南省立一中的校刊社,女声社是省立女中的校刊社外,其他都是同人性组织。

在这时期,昆明市大东门内报国街,有一座公馆,主人姓吴,上辈排"玉"字的弟兄,在清末有过功名,到民国时代,有的任电报局长,有的任民政司长,是昆明的官宦人家。他们的下一辈弟兄姊妹亲堂共十多个青年，都在昆明的中学校念书，都是俊才淑女。

这些青年，受到新文化运动的洗礼，大都爱好新文艺。他们都买了很多国内出版的各派文艺作品，贪婪地朝夕阅读。中国古典文学和世界名著，读了不少。他们交换阅读之后，互相讨论和交流读书心得。吴家二姐家蓉还演过《娜拉》、《少奶奶的扇子》，二弟家骥（以后笔名德先）也演过《罗密欧与朱丽叶》等名剧中的主要角色。在那样一个时代里，家蓉以一个大家闺秀，名门小姐，公然登台演话剧，颇有叛逆精神。在云南新文艺界发挥了积极的倡导作用。

正因为如此，这个吴公馆便成了很多文艺青年集中之地。二少爷家骥和四少爷家骏，又是爱好宾客的人。当时的革命青年和文艺写作者，大都认识他们弟兄姊妹，聚集在他们家里，他家总是热忱招待，到了吃饭时间就坐下去吃。

当时，经常到他们家的人，有张淑良、梅绍农、李子培、艾思奇、周咏先、姜云轩、夏梦华和我……等等。我和张淑良与吴德先合计，组织了一个文艺社，取名“春蚕社”，出版一文艺刊物名《春蚕》，又有一个月刊名《碧绿酒》。

因此，人们便说，吴德先家是“文艺沙龙”，这也是名符其实的。去吴家的人多半是思想进步的青年，很多地下党的青年也来吴家聚会。他们可以毫无顾虑地阐明他们的政治观点，在那里商量工作与活动。因吴家是一个官僚家庭，不致引人注目,反而可以隐蔽。后来在南京雨花台被国民党杀害的三个共产党员——刘希禹、陈仲模、马克昌三人,在生前也是经常出入“吴府”的常客,和吴氏兄弟友谊甚笃、关系颇深。艾思奇则成为吴家的女婿娇客,与家蓉结婚。艾思奇编云南《民国日报》副刊时,吴氏兄弟都是撰稿人。

“黑夜中的萤火虫”

戴 旦

1944年,一个偶然的机会,我认识了李何林先生。当时他在一家肥皂厂里当秘书,具体工作是搞一些杂七杂八的事务。我知道他是知名的文学史家、评论家。这样一位学者,怎么会来干这样的工作?从李先生知友李广田先生口中,得知李先生平时不避艰险,言论比较激进,又是地下民盟主要成员,到了昆明,格外为人注意,听人劝告,才干上了秘书工作。

我当时是个“小说迷”,很长一段时间,李先生成了我习作的第一位审读人。有一次,我写了个短篇,送到李先生处。约过一个礼拜,我想李先生一定看过,便不问三七二十一,直冲到李先生卧室。他在睡觉,马上披衣下床,找出稿子,谈他的看法。这时他爱人端一碗汤药进来,惊叫:“你是在发汗嘛!”我这才意识到自己太莽撞了,连忙道歉告别。

抗日战争胜利，他准备离开昆明，只是日期没有确定。我因父亲病逝，在家准备丧葬，来不及去拜望他。突然，在一个倾盆大雨的时刻，李先生却到了我家，浑身淌水，我请他换件干衣服，他不肯。坐下之后，拿出我的小说稿，滔滔不绝，阐述他的看法。他充分肯定后，说了一句话："作家不能高人一等，可是要当黑夜中的萤火虫。"

我的这一短篇，是写一个中学老师的妻子，想方设法要替老师做个生日；正当生日来临之日，老师在学生运动后被枪杀，老师爱人也愤而自杀。李先生"萤火虫"的意见，是不满这个短篇的结尾，还是将萤火虫比作这位老师在黑夜里发出光亮，这篇小说就是对他的颂歌？我一直不甚理解。后来李广田先生再度返昆明，任职于云南大学，我谈到李先生给我辅导的一些情况时，广田先生毫不思索地说："何林兄平时就有个论点：'文学是人学，有了人，才有文学'呀！"

传神阿堵轩

声　吾

董一道(1881—1931)字贯之，峨山县人。是个学贯中西的画家，同时有志于研求云南民族问题，广搜博采，足迹遍全滇。所到之处，以钢笔为各族人物写生，记其特异风俗并附写成图，辅以文字说明，前后共画百余幅，民族数十个，收集成册，刊行于世。此画集昔日旧书摊时或有售，十年前，余亦曾在剑川张某家见之，画笔精细，神形毕露，文字亦流利可读，惜乎流传未广。

董君晚年，设肆于昆明福照街，为人写真以维持生活，名其肆曰："传神阿堵轩。"内悬联云：

传神写真，还须要脸；

摄光取影，不怕现形。

讽时喻世，意味深长，可见其抑郁心情。

画错的佳作

善　甫

著名纳西族画家周霖，画风淳正，作画历来都很认真。旧时，有一次他画了一幅鹌鸪，笔墨生发，自己也还得意。可是画完细看，才发觉背景点缀错了。存之，既不适当；丢掉，又似可惜。于是，提笔题上了如下款识：

鹌鸪孵雏，必在初夏。误衬霜柯，见者惊讶。画虽小道，当慎浮夸。倘乖常理，定闹笑话。留此佳作，壁间悬挂。戒之慎之，莫漫挥洒。

这样，倒成了自警之作，堪以常悬案头了。

后来，当他见知于陈毅元帅，受邀到北京举

行个展时，这幅错画，竟也列为展品之一，坦然向首都人士“曝光”，这种无所讳饰的风格，倒还特受识者激赏。且于展后由国家列为其佳作之一予以收藏了。

闻一多治印

张　诚

闻一多先生不仅是一位知名学者，而且精于金石篆刻，特别在治印边款的文字中，颇具特色。抗战期间，他为华罗庚教授治印，其边款题字为：“甲申岁晏为罗庚兄制印兼为之铭曰：顽石一方，一多所凿；奉贻教授，领薪立约；不算寒伧，也不阔绰；陋于牙章，雅于木戳；若在战前，不值两角。”闻先生与华罗庚同为西南联大教授。先生战时经济窘迫，在友人的鼓动下，便在书画装裱师张宝善开的宝翰轩挂牌治印，并定有润格。当时浦江清教授还热心地专为他写了介绍的文启，登在报上，其中有“浠水闻一多先生，文坛先进，经学名家，辨文字于毫芒，几人知己；谈风雅之源始，海内推崇”之句。

闻一多先生为生活治印，对学术界同好，则恭自“奉贻”，话虽诙谐，但却情深谊重，传为印史佳话。

独特的通海"高台"

杨本有

通海、河西两县的"高台",是一种独具特色的传统民间文艺形式。

高台是在一座四尺见方的木台架上,支起一根高约二丈许、粗与大手电筒相等的弯弯曲曲的铁杆。根据每台所要表演的内容,用篾扎、纸裱、泥塑等方法,做成桌椅、树枝、崖石、刀枪、剑戟,乃至龙、蛇、牛、马、云彩等,将铁杆巧妙地顺势掩饰起来,彩绘成各种模型。并在铁杆适当之处安好铁制"座叉"。节日到来时,将事先选好的三四岁男童化好妆,穿上小型戏剧服装,分层坐在"座叉"上,用布条绑稳,服饰掩盖,看上去就只见小演员们或立、或坐、或跪、或卧、或吊于树枝、动物、云彩等等之上。每台由四名体强力壮的男子用木杠扛抬。各台之间配有乐队,或滇剧音乐、或洞经、或龙灯、虾灯、蚌壳精等,按东南西北方位的街道顺序游行表演。

民国时期,通海、河西县城,以及朝阳乡、七街、杨广等乡镇都有高台会。每年进入腊月,各高台会便筹组人员、经费,开始装高台。春节期间迎游时,各处日期错开,如河西在年初十,通海在正月十五。平年装十二台,闰年装十三台,一般不少于八台。“迎高台”，是这两个县规模最大的春节民间文艺活动，驰名远近，附近的玉溪、江川、华宁、建水、石屏、峨山等县都有人赶去看，每每盛况空前。

高台内容，多取材于戏剧片断或民间故事，每台挂牌写出名目，如《水漫金山》、《柳毅传书》、《张羽煮海》、《牛郎织女》、《梁山伯与祝英台》、《吊打王道陵》等。每台人物只容四五人。

通海、河西的高台艺术，兴于清代中叶，民国时期有所发展，但受交通限制，很少到外地展出。个旧、新平、弥勒等县，曾请通海高台去表演过，十分费事，铁杆要两个壮汉才能扛一根，服装、道具用马驮，“高台师傅”则要坐滑竿。

民初，唐继尧为他的祖母做寿时，曾请通河高台到省城。民国五年，护国讨袁胜利，通河高台又一次来昆明表演。

杀人祭柱贮贝器

佳　木

在滇池之滨的晋宁县石寨山，考古工作者曾在此发掘距今约两千多年前滇王国古墓葬群四十多座，墓葬中出土了大量的青铜器。这些青铜器，为研究云南古代奴隶社会，提供了具体生动的实物资料，引起了国内外广大学者专家的关注。

在这些出土的青铜文物中，最为引人注目的，就是用以贮藏当时流通货币——贝的一种器物，发掘报告名之为“贮贝器”。器呈桶形，内藏贝币。有的贮贝器，器身镌有祈年、播种、上仓、放牧等图像;器盖上则为主体圆雕,有战争、纳贡、纺织、杀人祭柱等场面。

杀人祭柱贮贝器中的一具，器高50厘米，圆桶形,中段收束、平底,双虎耳,器足为三虎爪形。器盖高32厘米,盖上铸有一亭,一碑,碑上缚一赤裸男子;一表,表端铸一虎,柱缠四蛇,柱础铸有一蟒正吞噬一人。还有二鼎、四笥虡、一錞于和十九具铜鼓。盖上有男女一百二十九人,高仅3厘米,还铸有牛、猪、羊、犬、马、虎、豹、孔雀、蛇、鱼等。场面错综复杂,但布局严整,主从分明,极为壮观。

这一贮贝器，不仅反映了滇王国高超的冶铸技艺，更为重要的是使我们从中了解到当时滇王国的社会面貌和生活情景。至于它所反映的内容,专家们有认为是滇王举行“即位”典礼的,有认为举行“诅盟”或“社祭”仪式的,也有人认为是“尸祭丧礼”的,种种说法,何者为是,尚有待深入研究。

牛虎铜案

林 荃

古滇青铜文化辉煌灿烂,名扬海内外。其中江川县李家山出土的牛虎铜案，成为代表器物而为世人所赞赏。

牛虎铜案，造型精美独特，由二牛一虎构成。以一头雄健的大牛为案身，构成铜案的主体。大牛四足稳立，成为案座；两角前伸，牛背为案面，下凹，似椭圆祭盘。牛后有一站立猛虎咬住牛尾，前爪紧抓牛后胯。大牛腹下，又横立一小牛，首尾稍微露出大牛腹外。这样一组合，二牛一虎，浑然一体，形态生动，造型十分优美。

以牛祭盘为主体，反映了牛在当时社会生活中的重要作用。同时当猛虎扑咬大牛尾部时，小牛藏于大牛腹下，又显示了大牛对小牛的保护。

牛虎铜案这一古滇青铜器，不仅是一件造型精美的艺术品，而且还寓有深刻的不畏强暴、保护弱者的象征意义。

鲁迅考校《孟孝琚碑》

强英良

1901年，在云南昭通城外发现的著名汉碑《孟孝琚碑》，是一块缺失碑额和上截的残碑，又名《孟璇残碑》或《孟广宗碑》，碑上的年代仅存“丙申”二字，一时省内外的金石家多为考证，虽然都认为属汉代碑石，但两汉八值丙申，各家说法不一，所订立碑时间，却相去甚远。

鲁迅在北京教育部工作期间，对这通名碑也十分留意。他在1915年6月19日的《日记》

中写道:“往琉璃厂买《孟广宗碑》一枚。”又在《日记》后的书帐里记下了购买此碑拓片的价钱是二元。《鲁迅辑校石刻手稿》中,有他亲笔所录的《孟璇残碑》碑文墨迹二页,内有谢崇基的跋记,鲁迅在过录时注明此段跋记系“行书四行,刻在左缘下方空处”。鲁迅抄录此份碑文是在买了《孟广宗碑》拓片后不久的事。嗣后,在1915年至1916年间,鲁迅曾对清末杨守敬编的《寰宇贞石图》碑影散叶,进行整理编排,重订成一部目录有序的同名碑影集,并在第一册目录中对《孟广宗碑》有所考订,其文为:

> 《孟广宗碑》,丙申月建宁(卯)丑卒,十月癸卯起坟。罗振玉依长术考为河平四年,虑未谛,今附汉末。在云南昭通凤池书院。

手迹原件无标点,括号中的字是鲁迅在该字的左上角圈去的,原应据碑文圈去“丑”字,误圈标在“卯”字上。“坟”为“攒”字之误。

罗振玉是清末民初时玩古董的老手,他考订此碑的时间在诸家之说中为最早,他在《雪堂金石文字跋尾》云:“此碑河平四年所立也,西汉石刻,世传至稀。”鲁迅认为这一论断并不准确,未得该碑真谛。他后来指出过:“罗氏的论断……我却并不尽信奉,不但书跋,连金石书画的题跋,无不皆然。”因为“只要看他的跋,人抵有‘广告’气扑鼻”(见《关于〈三藏取经记〉等》)。所以,鲁迅在重订《寰宇贞石图》时,按照原碑书体是具有成熟体势的隶书字,而将该碑“附汉

末”,列居已失年代的汉碑之首,是极有见地的,他对云南边地文化历史的重视,亦由此可见。

南诏德化碑厄运

白族·孙太初

前人每以金石喻长寿,其实并不尽然。古往今来,吉金贞石之遭毁坏者,多不胜数。相传明太祖筑金陵城,辇南朝碑刻作石料,江左名迹,毁坏者不知凡几！这大约要算石刻的一次大厄运。

云南南诏德化碑, 立于唐大历元年(766)。据万历《云南通志》录文,碑文长达三千余字,清平官王蛮盛撰文,传蜀人杜光庭书丹。此碑叙事详尽,书作俱佳,实研究南诏史的珍贵资料。惜数百年来,损毁严重。清乾隆间,王兰泉拓本,碑阳存八百余字,今只存二百余字,碑阴职官题名存六百余字。

究其损毁的原因,可谓荒唐离奇。民间相传此碑可疗腹疾,兼治妇女难产。遇有上述病人,村民往往凿取碑上片石, 研末和水, 令患者服之。积年既久,碑文凿损殆尽。今碑面疤痕累累,皆凿损之迹也。此俗不知始于何时。

哀牢夷祖九隆造像

史军超

我在云南民族学院执教时，见隔壁王均兄处有一造型特异的石雕头像，赏玩久之，王兄便慨然相赠，告以此像是他从保山城东四十里一古洞中寻得，为“九隆王”头像。时洞内有一长条石案，上面端坐九尊石像，中间一尊高达1米，八尊依次降列。当地群众说，这是“九隆王”雕像，何世陈列，渺不可寻。然每到阴历四月初八，附近各村彝族人士必汇集于此，杀十八头猪，要十八条龙为祭。后来他再访古洞，见洞内蝙蝠惊飞，碎石狼藉，九尊神像均已粉身碎骨，幸在一个隐匿的角落，九隆王头像尚存一具，便携带回昆。

此像系红粉石整体雕成，面额树痕纵横，似为古树化石痕迹。其基本造型为一佛陀，双目微合，眉心一点佛痣，线条柔和，肌理细腻，但嘴角飞出三对獠牙，特显怪异，为艺术造型史中少见。

九隆传说，见诸史传的很多，《后汉书·西南夷列传》、《华阳国志·南中志》均有记载。这具“九隆”石雕头像，极近南诏佛像作风，然而突出的獠牙又羼进一种质朴粗犷的格调，似是南诏初佛教传入，且与原始的本土宗教相牴牾又相融会时期的作品。九隆雕像目前仅见此尊。

雕像的艺术风格独特，工艺精良。构思集中而凝练，手法写实而夸张；细腻的常人形态，使它更富人情意味。獠牙、水纹饰额、三叶状眉毛又点划出龙神的身份。面部柔韧、匀称的肌肤，辉映出纯净和谐的祥光，与印度古色古香的笈多派艺术表达的唯识玄想精神相贯通，显然，它也吸收了印度佛像艺术的精华。

这具九隆石雕，在中国艺术史和思想史上，应是十分珍贵的文物。

昆明大理国经幢

林　荃　万揆一

1917年秋，昆明东南郊聚奎楼外的地藏寺内，荒草丛中，发现一座半埋于地下的古石塔。省会警察厅厅长秦光第得报后，指令该管警察署督工前往挖掘清理。当时认为这是一座“唐塔”。

古塔出土期间，居民络绎不绝前往观看。民间认为此塔乃“镇蛟”之物。是年适值雨水连绵，六河水涨溢岸，近河一片汪洋，迷信者认为因挖掘“唐塔”，以致造成水灾，一时人心惶惶。10月6日，昆明《痛报》曾以《迷信可笑》为题，指出“其说荒诞无稽”，希望人们“勿为浮言所惑”。

云南督军兼省长唐继尧据报后，训令警察厅：“事关金石古迹，应令该厅长派员会同该管警署，详细查勘，有无折损痕迹，具复候核。”与此同时，地藏寺住持和尚莲洲，诚恐每天前来观看的人太多，难免有破坏行为，要求准他进行募化，予以“葺筑”。“唐塔”出土后经过清理，由莲洲就地看管培修，款由警察厅编出预算，先行垫出，将来由莲洲募化归还。1919 年 3 月，全部工程告竣，并加修围栏，以便保护。

所谓“唐塔”，实为大理国(宋)时所造之经幢，俗称古幢。经幢乃大理国佛弟子议事布燮袁豆光造，称为“佛顶尊胜宝幢”。《造幢记》刻文称：高明生早逝，儿子年幼，得到布燮袁豆光的支持，终于使得“东海浪澄于惊波，楚天霄净于谗雾”，为纪念他扶助幼主，扭转危局的功绩，建造了这经幢。

经幢高 8 米，七级八面，由五段砂石组成。雕有密教佛、菩萨及天龙八部共三百躯，大像高约 1 米，小像不足 3 厘米，为石幢中的精美杰作。在石幢基座与第一级幢身间，阴刻汉文《造幢记》，余五面，分刻《佛说般若波罗密多心经》、《大日尊发愿》、《发四宏誓愿》。其下为须弥座，上刻蟠龙纹。这座精雕细刻的经幢，既是一座艺术珍品，也是研究大理国文化的实物资料。

三访渊公碑

孙太初

大理国皎渊禅师塔铭，立于段智祥天开十六年(1220)。赵佑撰文，苏难陁智书。皎渊乃相国高量成之子，出身贵胄。当其坐化后，国王特命于祥云水目山建塔立碑，故书撰镌刻，俱极一时之选，非他碑可比。

是碑王昶《金石萃编》及光绪《云南县志》均见著录，谓在水目山积善寺前，屡遭兵燹，巍然尚存，然从未见拓本流传，余曾两次往访，俱无踪迹。后祥云县文管所于寺之废址间掘出此碑残石二角，存二百余字。余至大理州鉴定文物，再登兹山，并手拓墨本，虽吉光片羽，亦不负余三次登陟之劳矣。爰赋小诗二章，以纪其事。诗云：

殿宇荒凉半丛残，寻碑两度叩禅关。烟消厨冷孤僧在，斜月如霜照重山。

片石新出废寺南，唐贤楷法此同参。九泉欲起王司寇，论古评碑剪烛谈。

东寺塔与金鸡

杨世光

东、西寺塔原系昆明古城高层建筑之绝，两塔对峙，挺拔如擎天玉柱。我住东塔旁，开窗就见到高塔雄姿。晨昏流连其下，每感其超尘脱俗的尊严气派。塔高40余米，十三层，立于方形三级石台基上，内有螺旋木梯通至十层，属密檐空心四方砖塔，二至十二层四面设龛，各置一尊石佛，远看如仙士倚窗眺望。塔顶立铜制塔刹，由刹杆将相轮、伞盖、圆光、牟尼珠贯穿，直冲青霄。其旁四角分置一只2米高铜制迦楼罗（金鸡），雄视四野。东塔原在长乐寺，又名常乐寺塔，现寺毁塔存。

听“老昆明”言，有西南风时，塔上金鸡会叫，颇惑，以为迷信讹语。一次重修时，我得便旁观，见铜鸡喙内置管状有簧片的口笛一枚，鸡腹中空，迎风即可喔喔鸣响，方悟其科学道理，不禁为古人智慧叫绝。塔顶置此金鸡，当与原始崇拜有关：佛经上称迦楼罗（金鸡）翼展三百六十万里，整个浮堤（世界）仅能容其一足，且它以龙为食，而古昆明恰是泽国，故借佛力神鸡镇龙以禳水患。这里亦有实际功利在：过去滇池水位高至城边，西南风起，则有海潮扑袭之虞，故让金鸡先鸣示警，以便及早防备。

建水文庙

杨 枫

建水文庙始建于元代至元二十二年(1285)，后经五十余次增修扩建，占地7.6万平方米，是国内大型文庙之一。《新纂云南通志》谓，建水文庙，“规模宏敞，金碧壮丽，甲于全滇”。

全庙分六进院落，坐北朝南。大门“太和元气”坊，高九米，石木结构。坊后为泮池，俗称“学海”，广四十余亩，围以红墙。池中一小岛，有堤相连。岛上建一亭，名钓鳌亭。南面焕文山倒影映入池中，水色山光，颇饶佳趣。据传昔时每逢火把节之夜，山上的火把，星星点点，映入水里，火影多少预兆着秋闱中中榜者的多寡，故“焕山倒影”或“学海文澜”是旧时建水十景之一。泮池后为半月形唇台，有石栏相围。“礼门”、“义路”石牌坊东西对峙；坊侧红墙上镶嵌“鸢飞鱼跃”大字石刻四块，各高一米。

唇台后石阶上，有“洙泗渊源”坊，高九米。巨型石雕龙、麟、象、狮，高坐坊座上，拱卫着木构架的牌坊。坊左右各有“二龙戏珠”、“双凤朝阳”砖雕壁画一幅。坊后东西横陈“道冠古今”、“德配天地”、“圣域由兹”、“贤关近仰” 牌坊四座。坊内立有明清时的碑刻二十余块，是研究滇南文化教育的珍贵史料。

其后为棂星门，三开间，四根木柱穿出屋脊，柱上有木雕飞龙，柱顶套有雕龙青花陶瓷罩。门内为一园林，左有文昌阁，右有名宦祠。

再后是由大成门、东西两庑和先师庙(也称大成殿)组成的大庭院。主体建筑先师庙建在庭院后部丹墀上，歇山顶，琉璃黄瓦。全殿由二十八根巨柱支撑，其中有十二根高五米的青石大柱，撑持前檐的两根石柱，雕琢为龙腾祥云状，称石龙抱柱。二十二扇屏门，透雕出近百飞禽走兽，当中之"六龙捧圣"，为屏门之珍品。五道门槛亦用整块纹石凿成。庙中悬挂有清代皇帝御书贴金匾额八块。供奉孔子牌位的圣座亦由巨石雕成。庙前有明代石刻孔圣弦颂图一幅，孔子抚琴授课，四弟子肃立恭听。又有乾隆时铸造的铜香炉一座，高近 3 米。庙左有碑亭，内有乾隆《御制平定回部告成太学碑记》，通高 5 米，宽 2 米，满汉文对照。庭院内桧柏数株，相传植于元时。又有石雕白象两只，驮有一米多高的青铜花瓶。庭院外有东西明伦堂，为临安府学、建水州学旧址。明清两代，建水曾涌现文武进士一百零一名、文武举人一千零八十四名，在云南省内有"临安半榜"之誉。

先师庙后有崇圣殿，其东有景贤祠、仓圣祠。又有碑刻十余块，其中的元圣旨碑，为滇南最古老的碑刻。

升庵竹杖传千古

云　崖

昆明西山之麓的高峣村有一杨升庵祠，负山面海，云水苍茫，景物宜人，足荡胸襟。

升庵祠是为纪念明嘉靖时谪戍云南的杨慎(升庵)而设立的，升庵祠中，除升庵像外，原存有升庵手拄竹杖。此杖清末曾被人借去不还，1917年，有寺僧名如镜者求助于官府，在当时的昆明县令谢象离的干预下，始得璧还，并送藏于博物馆。为恐竹杖一旦无存，还令人摄影存留。另制木板，摹刻杨升庵手持竹杖像于其上，木板并刻录赵藩铭文，由陈荣昌题记，以示"崇贤存古"之意。

竹杖高148.4厘米，四川大节竹，竹杖上部，一面刻有"中空外直，节劲心虚"八字，另一面刻"主杖子题"四字。升庵终生谪戍云南，携杖遍涉滇云山水，广交滇南人士，学识渊博，著作丰富。他刚直不阿，淫威不屈，谦虚谨慎，虚怀若谷。竹杖铭文，正是他思想人格的写照，因之，竹杖看似平凡，却弥足珍贵。陈荣昌曾有《题杨升庵竹杖》诗云：

新都公子老滇中，一杖优游士类从；
化作邓林犹自可，莫教飞去化为龙。

足见后人对竹杖的珍视。

新店“誓众碑”

万揆一

1929年秋，滇西大盈江东岸瑞亨山麓的新店(原蛮莫土司地),农民掘地时,发现一块断为三截的古碑。碑长六尺余,宽三尺余,厚约一尺,中书“威远营”三个大字。左右各有三行碑记:右边首行镌“大明征西将军刘,筑坛誓众于此”;二三行为誓词:“六慰拓开,三宣恢复;诸夷格心,永远贡赋;洗甲金沙,藏刀鬼窟;不擒不纵,南人自服。”左边一二行为受誓各土司,有:“孟养宣慰司、孟密安抚司、陇川安抚司”;末行纪年为“万历十二年二月十一日立”并附刻石石工姓名。

《誓众碑》发现后,原滇缅界务调查员尹明德据报后,亲往观看,并拓片数张携回腾冲,直到1931年初,昆明《民国日报》才报导了这件事。

查《神宗万历实录》及《明史·刘綎传》:万历十一年(1583)四月,缅甸土司莽应里,“率领诸夷分道入寇”;陇川宣抚使岳凤,联络耿马、南甸、芸市土司配合内犯,明廷乃擢升原云南迤东道守备刘綎为游击将军,会同参将邓子龙等率部堵击。刘綎军直入陇川,攻蛮莫,招抚孟养,岳凤投降。乱平,刘氏“以副总兵署临元参将,移镇

蛮莫”，“誓众碑”即立于此时。

建水文笔塔

曹天明　晏进飞

建水城南四公里的拜佛山顶，矗立着一座造型独异的石塔。塔建于道光八年(1828)，造型别致，塔身实心，用青石砌成，远看是四角方形塔，近看呈八体塔。塔高34米，更奇异的是塔高与塔基周长相等，这是巧合还是有意设计，今犹未解。塔从山麓仰望，有如一支巨大神笔凌空伫立；在坝中远眺，又如一枚即将发射的火箭，直指云天，具有现代派建筑韵味，颇为壮观。

塔基周围有几棵榕树相伴，榕树形状也很别致，远望如同一只昂首高叫的公鸡，故俗称“公鸡树”。加上拜佛山上绿草成茵，峻石林立，使巍然屹立的石塔更为增色。

古塔研究及考古专家，认为这种类型的塔，在全国是惟一的一座，并赞誉为“中华宝塔古今无”。

双龙桥

曹天明

在距建水城四公里西庄坝的十里平川上，有座古桥，横跨于泸江、塌冲两河交汇处，有“一桥镇双龙”之意，故名双龙桥。乾隆时始建三孔，后因两河泛滥，河床渐宽，三孔小桥不能横贯两岸。又于道光十九年(1839)连建十四孔，与原建三孔相接，浑然一体，桥面笔直，有十七个拱洞，又称十七孔桥。

桥为大青石砌成，全长153米，宽35米，宽敞平坦。桥上建有亭阁三座，造型别致。中间一阁，层累为三，高接云霄，两端各有桥亭一座，蔚为壮观。咸丰六年(1856)，三阁毁于兵燹。光绪二十二年(1896)重建三阁，更为雄伟，中间大阁为三重檐方形主阁，高20米，边长16米，上两层覆以歇山式屋顶，层檐重叠，飞檐交错，雕刻精美，壮丽巍峨，素有“滇南大观楼”之称。底层为桥身通道，阁内有楼梯，可登高远眺，山川平坝，尽收眼底。原桥两端各有桥亭一座，两层楼，高13米，与阁楼互相辉映，南端桥亭为重檐六角攒尖顶，檐角飞翘，玲珑秀丽，北端桥亭早年已毁。

百多年的古桥，经历无数次洪水、地震灾害

的考验,至今马驰人往,安全无恙。远望双龙桥,仿佛是静静的碧水湖面飘来的一艘大船;从桥的外形看,桥身宛如长龙卧波;楼亭间如“复道行空”,颇具诗情画意。

双龙桥是云南古桥中规模最大、艺术价值最高的一座。它承袭我国连拱桥的传统风格,融桥梁建筑科学和造型艺术为一体,是我国古桥梁中的佳作,在我国桥梁史上占有重要地位。著名桥梁专家茅以升考察后,列为全国大型古桥之一,定为云南省重点文物保护单位。

老榕树下立丰碑

张昆华

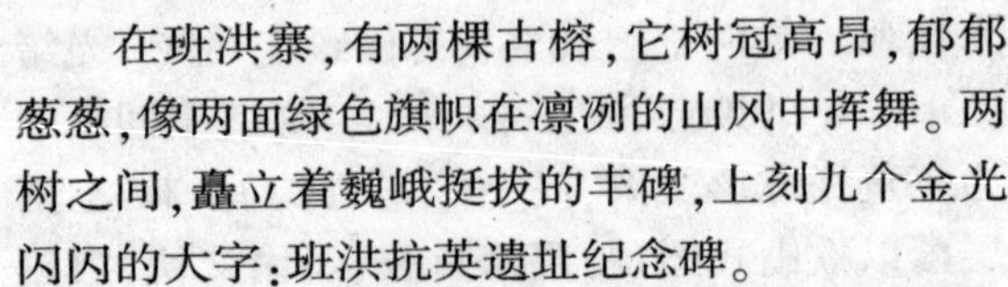

在班洪寨,有两棵古榕,它树冠高昂,郁郁葱葱,像两面绿色旗帜在凛冽的山风中挥舞。两树之间,矗立着巍峨挺拔的丰碑,上刻九个金光闪闪的大字:班洪抗英遗址纪念碑。

仰天长望,碑如弩箭,以班洪寨的山脊为弓弦,直射朵朵流云。碑座装饰浮雕,有刀镰叉棒等原始兵器,还有诞生佤族的象征——葫芦。难怪古时称班洪为“葫芦王地”。碑文用史诗般的笔法写下了“班洪事件”的英雄篇章。

如果把佤山比作雄鹰,那么班洪寨便是鹰首。其地理位置恰在澜沧江水系的分水岭,不但是国防要冲，还富有金银矿藏。19世纪初叶，英帝侵占缅甸后，公然将“葫芦王地”划入未定界，妄图并吞。1934年1月21日，英军二百五十余人占领金厂、炉房一带，强行开采矿藏，还先后两次带着金币、毛毯等物前来收买班洪部落佤王胡玉山，但均被严词拒绝。

利诱未逞，英帝即以武力威逼。1934年2月8日，胡玉山召集班老、岩帅等十七个部落佤王到班洪寨商议抗英要事，就在这两棵老榕树下剽牛四头，同饮血酒，共发誓言：“要把英帝赶过滚弄江(即怒江下游萨尔温江)，到江边洗刀！”胡玉山当即拿出一千五百个半开银元，分给各部落王作为抗英费用。他还站在榕树下，弯弓射弩，表示勇往直前。

佤族崇拜榕树，视之为最大的神灵。建寨必栽榕树。榕树繁茂，这个寨子就昌盛。班洪寨果然像这两棵榕树一样兴旺发达。作为历史的见证，这两棵有生命的古榕，也应当作文物妥善保护。

通海的木雕隔子门

雁 寒

昆明筇竹寺的五百罗汉塑像，被誉为东方雕塑艺术瑰宝。而现藏于通海县小新村三圣宫的木雕隔子门，其艺术水平可与筇竹寺五百罗汉像相媲美。

这堂隔子门共六扇，红椿木质，每扇高 321 厘米，宽 60 厘米，厚 7 厘米，除天头地脚雕刻花卉鱼虫、飞禽走兽、流云飞霞等纹饰图案外，主体分三部分，正中部分较短，上下两部较长，按五层镂空，所刻人物、景象几成立体，并饰以朱彩赤金。居中两扇上部刻有五条金龙，龙身圆润，活灵活现，鳞甲熠熠生辉，龙尾飞卷翻腾，谓为“五龙捧圣”。其余四扇上部雕有十八个和尚，或乘龙，或骑虎，或持杖，或捻珠，组成“十八罗汉请观音”，人物均高约 17 厘米。

这六扇隔子门的主体部位，竟刻出二十九组历史、小说、戏曲的故事情节，诸如《三打祝家庄》、《八仙过海》、《十八路诸侯伐董卓》、《赵子龙大战长坂坡》、《刘备过江招亲》、《刘海戏蟾》、《姜子牙下山封神》等。因场景宏大，人物众多，每个人近者仅高 7 厘米，远者仅只枣大。而无论大小都雕刻得维妙维肖，各具神态，栩栩如生，呼之欲出。各个场景构思周密，想象丰富，设置妥切，比例匀称，刀纹特殊，细致处甚至连茶壶上的水汽都隐约可见。

六扇隔子门上，共刻出大小人物一百八十人，马二十八匹，龙七条，麒麟四头，牛四条，亭台八处，古木十余株，山水桥梁、桌凳案椅、战旗兵械等，应有尽有。更有趣的是“五龙捧圣”图下的两扇门上所刻的怪石修篁，几竿瘦竹，高矮有致，竹叶错落。细看这些竹叶，竟成字组，联成一诗:“水绕楼船起圣宫,双龙发脉势丰隆,春山拥翠千年秀,不赖丹青点染工。”

这堂隔子门系清末河西县木雕艺人高应美所刻。据《续修河西县志稿》载:“高应美(1861—1932),河西人。木工,擅雕刻,技艺冠绝,能于方寸之木,雕刻历史人物及佛道故事……”传说其工价是以每日雕下的木屑重量兑取银子,木屑几两,兑银几两。可见其技艺之高。

高应美一生只雕刻出隔子门四堂,河西圆明寺藏一堂,已毁于火灾;通海文化馆藏一堂及本文所介绍的小新村三圣宫藏一堂,至今保存完好;一说个旧荣禄街李家花园曾藏有一堂,现已不知去向。有的则说此堂几经辗转,先卖到香港,后到了巴黎,为法国一家博物馆所收藏。

西南联大纪念碑

林 荃

在云南师范大学内,矗立着一块“国立西南联合大学纪念碑”。碑座呈圆拱形,中间镶嵌纪念碑。此碑记录了西南联大的历史。1937 年“七·七”事变后,平津危急,在北平的北京大学、清华大学和在天津的南开大学相继南迁,先迁湖南,三校合组成长沙临时大学。1938 年 1 月,又由长沙迁昆明,改为国立西南联合大学,理工学院设在昆明,文法学院设在蒙自。不久,增设师范学院,文法学院也迁到昆明。西南联大自1938年4月抵昆明,5月4日开始上课,直至1946年5月4日,历时八年。入学学生达五六千人,毕业生二千余人,为国家培养了大批人才。

在即将分别迁回平、津之际,校方决定建立纪念碑,以纪念三校"为一体,如胶结,同艰难,共欢悦"的历程。纪念碑由文学院院长冯友兰撰文,文学院中国文学系教授闻一多篆额,文学院中国文学系主任罗庸书丹。碑文千余字,记述了西南联大创办始末以及可纪念的四件事。接着说:"联合大学初定校歌,其辞始叹南迁流离之苦辛,中颂师生不屈之壮志,终寄最后胜利之期望。校以今日之成功,历历不爽,若合符契。联合大学之终始,岂非一代之盛事,旷百世而难遇者哉!"碑阴还刻有西南联大校志委员会纂列的"抗战以来从军学生题名录",由中文系教授唐兰篆额,数学系教授刘晋平书丹,共录列从军学生八百三十四人,为研究西南联大与抗日救亡活动的历史,留下了珍贵的历史材料。

满湖珠玉游泸沽

纳西族·赵银棠

泸沽湖，在永宁坝东狮子山的后面，沿岸与云南、西康、四川三省接界。1943年春，我随同“边胞服务站”人员跟着马帮前往永宁，有幸一游。

游湖，必须通过永宁总管或喇嘛寺堪补的同意。我们行前已作过联系，至湖边已有两条木槽船等候。放眼一望，山青水绿，风景如画，波涛澎湃，尤富节奏，不禁使人胸襟开阔，荡涤尘怀。坐在船里，水色时时变异，水天相映，水色比天空还要蓝。船越划进深水，湖水越绿如翡翠，玲珑透明，盈盈流动。从这船看另一船，好像绿水把船身都染成绿色了。疑幻疑真,难以分辨。

我们要去歇息的地方叫“海堡”,它建筑在阿侯岛上面, 这是湖中最大的岛。永宁土司姓阿,此岛是属于他家的。阿云山当永宁总管时,在岛上筑墙建堡,作游览及避敌之用。据说民国初年,美国人洛克来到永宁时,建议阿云山:好好起个别墅,并为之构图设计,洛克也在岛上住过很久。我们在湖中游了两个小时,抵达岛下,从碉堡岸口上去,经石级层层转折,被引进一间四面玻璃、栏槛,敞开的大厅堂内,里面有桌椅、炕床之类的摆设。堂檐间悬有“海外蓬莱”四字,系剑川赵藩之弟赵荃所题。倚栏俯视,泸沽湖一片汪洋,波光腾跃。整个下午全身心都沉浸在美好的湖光山色里。

次晨,一早起来,想一睹湖上的拂晓景色。开始,星月微明,四周沉寂,远近迷蒙;东方微明,白云轻起,湖面柔美;天色渐明,湖水明澈,天影淡蓝,呼吸澄净肺腑。旭日东升,阳光照耀湖水,湖波粼粼闪动,处处珠光异彩,慢慢变成了满湖的珠玉。看着,看着,更觉得是满湖的金刚钻哟!此时,此地,我的感觉是:置身在辉煌美丽的童话世界中,忘记了人间的一切,也忘记了我的一切。

泸沽湖水美、山美、人情美,可惜躲在深山少人知。何日辟成游览区,定会使这颗高原明珠大放异彩。

石屏秀山寺

杨世光

云南有两座秀山，一在通海，一在石屏。在石屏县宝秀镇东侧的秀山上，有一方凹地，秀山寺即掩藏其间。沿长达三十余丈的石阶路拾级而上，渐觉浓荫播爽，寺虽不大，却也精巧。大门上镶挂一匾，上书"秀山"二字，神采飞扬，颇富气派："秀"字刚健挺拔，"山"字则活似一座突兀奇峰。这匾是乾隆八年(1743)本地山野文人徐应恒所书，传说是他用头蘸墨写就。寺门有联曰："山谷风高，无双玉镜无双寺；东林竹茂，一半青山一半云。"

进门为前殿，一尊高七尺的弥勒佛迎面而立，左侧耳殿供祀"佛弟子目连救母"。往前，过廊宽敞，两旁十八罗汉栩栩如生。上前楼三教殿，并排塑有孔圣、如来和老君，儒释道并祀一堂。穿过廊坊，跨过功德阁，便是伟阔的大雄宝殿，内塑释迦牟尼及文殊、普贤诸像，衣纹流丽。殿前悬有袁嘉谷的名联："游世界三千，只爱此空山风月，古寺烟霞，听彻梵钟声声入耳；览营盘十二，问谁将绿雨桑麻，黄云稼穑，写来诗卷字字关心。"从大殿拐右，进到另一个独立大院，三层阁楼，高约七丈，上挂有"凌云阁"三个行书大字，为陈荣昌所书。阁前置大理石栏杆，凭高临下，气势轩昂。

寺中楹联书法极多。除袁氏联外，尚有康熙时出任河南知府的石屏人张汉的遗墨，昆明筇竹寺高僧本善等名家的遗迹，陈荣昌写的对联："几两屐入数重山，闻僧讲道；尺五天开方丈地，待我吟诗。"

秀山寺，四面皆童山濯濯，唯环寺周围，一丛浓绿，别有地天。

从月亮上掉下来的水

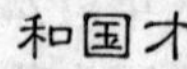

在贡山县独龙江乡南端，有处被当地傈僳族人民叫做"哈巴依称"的地方，意思是"月亮上掉下来的水"，指的是独龙江畔的一处高山瀑布"滴水岩"。

瀑布从独龙江西岸的当打里卡山高约一百二十多米的山岩缺口喷涌而出，撞在独龙江边岩石上，溅起几丈高的水柱，发出雷鸣般的吼声，注入独龙江中，巨大的气浪冲到近一百米外的独龙江对岸，震得满山树枝摇摇晃晃，河谷里水珠霏霏，烟雾茫茫，阳光与青山绿水交相辉映，组成一幅多姿多彩、威武壮观的山水画。

这里是进出独龙江乡的重要通道。平时，来

往人员必须从溅起的水帘下通过，像壁虎一样贴紧地皮，双手紧紧抓住石头，匍匐前进，才不致被气浪推下波涛汹涌的独龙江。雨季，江水猛涨，水位上升，瀑布势如万钧雷霆，直接冲进独龙江，这条通道就被封死了。

站在江边看瀑布，能看到的只是眼前陡峭的山岩，看不到背后的高山，瀑布如同从天上的白云里喷出，气势磅礴，蔚为壮观。更奇的是农历每月十五日前后，月亮下落到瀑布涌出的山口上时，站在山下远远看去，瀑布好像从月亮里喷涌而出。因此，富于想象力的当地人民，把这瀑布称之为“从月亮上掉下来的水”。

风光秀丽的九十九塘

和国才

在碧罗雪山南段的山顶西侧，海拔三千二百多米处有十八个馒头似的小山头围着一片长两三公里、宽一公里多的小草甸；草甸上又分布着大小九十九个水塘，称作“九十九塘”。

九十九塘四周的小山包上，密布四季常青的雪松，草甸上铺满鲜花、青草，九十九个水塘就像一块块明镜，一年四季，清澈见底，一尘不染。一条条潺潺流淌、弯弯曲曲的小溪，又把水塘串在一起，犹如串串珍珠。

传说很久很久以前，常有十八个仙女结伴从天而降，他们各自坐在一个小山头上，对着水塘梳洗打扮。可是风魔竟来捣蛋，把树林里的枯枝败叶卷进水塘，把水搅浑。仙女中年纪较小的两个于是变成一对漂亮的云雀，住在草甸里，不分白天黑夜清理水塘，把掉进塘里的树叶草屑一点一点地叼走，小塘这才始终像明镜般清亮。

神奇的卡瓦格博

何侃

澜沧江西岸滇藏交界处的横断山怒山山脉，俗称四蟒大雪山。山脉分为三段，北段为梅里雪山，中段为太子雪山，南段即碧落雪山。梅里太子雪山的主峰卡瓦格博，海拔六千七百四十米，为云贵高原的最高峰，凌空出世，直插云霄。其雄伟的山形和丰富的资源，令人神往；其山势险恶，气候多变，又使人望而生畏。

"卡瓦格博"是藏语，意思是"神圣洁白的雪峰"，民间称为"雪山之神"。藏语还称它为"奶给董波"，意思是神山第一，在藏区被列为八大神山之首。藏民们对它既崇拜又惧怕，无论做什么大事，都怀着敬畏的心理去朝拜它，求其保佑。每年秋末冬初，笃信喇嘛教的藏民从川、藏、青、甘、滇的藏区千里迢迢赶来朝觐，沿着山脚烧香叩头,历时半月左右。藏历羊年,传说卡瓦格博神山开启一百道山门,迎接所有神山山神集中于此议事,朝山转经者,更是成千上百倍地增加。在崎岖山路上,善男信女们抱鸡赶羊,扶老携幼,拄杖而行,绵延不绝。

梅里太子雪山,是个平均海拔五千米以上的山群,冰峰攒簇,雪峦连绵。主峰卡瓦格博,积雪终年不化,常常云遮雾罩,难见真容。峰下冰壁遍布,冰川交错,尤其是世界稀有的低纬度高海拔季风海洋性现代冰川"明永恰"和"斯恰",如银龙双戏,扑向澜沧江岸,蔚为奇观。从澜沧江畔的卡瓦格博山脚到白雪皑皑的山顶,高差近五千米,典型的立体气候,使山上有着丰富的动植物资源。据初步考察:山中荟萃了从亚热带到寒带的众多植物种类;在春天,人们还能看到白唇鹿到山腰青稞地里觅食的情景。

20 世纪 40 年代初,美国人洛克博士在滇西北考察时,称卡瓦格博为"世界上最壮丽的雪山"。卡瓦格博年降雪量很大,大风天数很长,气候变化大,冰塌雪崩频繁,流雪滚石极多,所以上山活动的危险很大。1902 年,一群英国人想攀登山顶,却未成功。

大理之风花雪月

罗养儒 遗作　李行健 整理

大理风景中有风、花、雪、月四者，风曰下关风，花曰上关花，雪曰苍山雪，月曰洱海月，尤以雪与月为最著。如赴大理，行至弥渡之定西岭头，即见一排银笔插天。问于路人："此何处之雪山，胡于春夏季间犹能如此灿烂炫目？"答曰："此苍山十九峰之一群雪山也，自远望之可见，近则为前列之高峰所蔽，故难见其真面目也。"

至于洱海月，则是在夏秋之夜，行近海滨，仰视天空，高悬玉镜，俯而下视，地涌银涛，若喻其形色，真"茫茫千丈雪，滚滚一团秋"。以故洱海月色，实胜于他处。

言下关风者，非言其大，非言其猛，亦非如大理人所言"风不入门是一宝"之说。下关有桥曰黑龙桥，跨于河上，以此桥为界，桥北为关内，桥南为关外，是处两山逼仄，中成槽形。关外接凤仪坝，吹南风时恒多，风自南来，当然灌入山槽；惟在槽口处，风势系由下而窜上，因而发生种种异状。如人向北而行，风自南来，吹揭头上毡帽，照理自应落于身前，而实际却落于身后；又自上而下，向南而行，迎面风来，揭去头上毡帽，据理而论，只会落于身后，而偏落在面前；故无不称奇。

曰上关花者，其地实不在上关，而在上关前去十余里之沙坪街后约二里之和山寺内。和山为苍山北头云弄峰麓之一小地名，是处有一佛寺，咸曰和山寺。志载："和山花树高六丈，其质似桂，其花白，每朵十二瓣，应十二月，遇闰辄多一瓣，俗以为仙人遗种，在大理府和山之麓，土人因以其地名之。"似此，和山花亦尤昙花之类也。惟据地方父老言："和山花状若单片牡丹，大如拱拳，白而微黄，花心如莲房，作黄绿色，复有如指大之十余细瓣围簇花心。叶则如岩桂而色泽略逊，香味则较桂叶为浓。此花种自何时，殊不可考，但传云为仙种耳。"又传云："在元至正年间(1341—1370)，花极繁荣，年开数万朵，香溢百步外，花开于春初，而能延至春末，要必春尽，始云谢尽。"又云："花之种绝，是由花开放时，来观之众多属显贵，随来仆从在在骚扰地方，彼怨恨难蠲者乃将此花射死，而后来亦无萌蘖之生焉。"其说如是，不知确否？

明万历进士邓川艾自修《和山花》诗云："琼树依斜谷，花开十二幅。逢闰瓣加之，香来十里馥。幽藏榆北边，色让牡丹霞。何当绣斧使，下毂问山家。"此篇所记"上关花"与之意同。

云岩玉佛甲天下

鲁轶平

云岩卧佛寺，位于碧罗雪山东麓、滇西重镇保山城北十五公里的云岩山下，庙宇建在一个天然的石灰岩溶洞里。寺前有一泓两亩见方的池水，池中有一古色古香的小亭，池水清澈见底，游鱼可数，岸边垂柳和山中苍松古柏，连同空中悠悠闲游的白云一起映在池水中，应了亭中“云在水中流，鱼从林中游”的联语。进得正殿来，只见洞顶洞壁的钟乳石千姿百态，或倒挂在洞顶，或侧生于洞壁。贴壁而塑的五百罗汉神态各异，栩栩如生。最引人注目的是殿堂正中那尊神情安详、似睡非睡的白玉卧佛。它身长 6 米，重 9.5 吨，用纯汉白玉制成，是目前我国最长的玉佛，比福建省福州西禅寺的玉佛长 2 米。

云岩卧佛寺始建于唐开元四年，距今已有一千二百多年历史，在省内外久负盛名，农历二月初八游人不远万里前来朝拜。相传这座卧佛寺，是纪念一位因拯救永昌坝的万顷良田而捐躯的傣族货郎，把巨石凿成卧佛，年年供奉朝拜。但此卧佛，后遭毁坏。

现在这尊玉佛是爱国华侨傅凤英女士捐赠的。傅女士原籍北京，丈夫是中国抗日远征军中的一位营长，参加过举世瞩目的滇西大战。当傅凤英风尘仆仆地从北京到滇西寻夫，丈夫已经血洒沙场。傅凤英流落到云岩卧佛寺里，寺里尼姑鼓励她重新树立起生活信心。后来傅凤英到缅甸开了一家珠宝商店，她用平生的积蓄买了玉石，请来匠人，雕琢了这座举世无双的玉佛，捐赠给保山云岩卧佛寺，实现了她的宿愿。

安宁温泉摩崖题刻群

丽　宇

云南多山，悬崖削壁随处可见。这些崖壁上时可见到历代官员文士留下的题词。它们既是珍贵的文化历史资料，又是不可多得的书法艺术作品。这些摩崖中较为集中的为安宁温泉摩崖题刻群。这段摩崖约长二百米，高十余米。其间约有百余幅题刻，草、隶、篆、楷各种书体均有，体裁有诗、联、记、句，还有画。时间为明、清、民国三代。有的赞美温泉，如太和元气、域外华清、水之圣、不可不饮、莲龛丹灶、沐浴灵氛、不留纤垢、仙岩神液、振衣濯足、如风舞雩等等；有的歌颂景致，如碧玉洞天、溪山绣错、如游辋川、桃源可问、岩飞壑舞、磊落雄奇、竞秀争流、十洲分胜、环翠、云窝、玲珑玉、螳川仙境、宇宙奇观、似在罗浮林屋之间、龙气蒸云壁、春风卷雪涛等等。一幅幅题刻，从不同侧面称颂这里的山水；而它又为这些山水增胜，形成一种文化氛围，令人想到那遥远的年代，想到智慧的祖先创造的滇文化……

建水朱家花园

曹天明

被称为建水一奇的朱家花园，位于城内建新街中段，占地面积达二万余平方米，建筑面积五千多平方米，为当地乡绅朱渭卿弟兄于光绪末年所建。其主体建筑呈“纵三横四”布局，房舍鳞次栉比，院落曲折层出，计有大小天井四十二个。整组建筑的庭院、厅堂布置得当，空间景观层次丰富，形成“迷宫式”的木结构建筑群。

进入大门，屏风遮掩，往左右两侧门而进。右侧门贯通建新街十三间的“吊脚楼”，与后两院“跑马转角楼”相通，为朱家过去所开铺面及存放物资处。从左侧门入院，院内大青石板铺地，花台、石缸和花木分布其间，青砖粉墙，厦廊环绕。通过圆形圈门，即进入朱氏宗祠大堂，右侧前为家族祠堂，祠堂高大，宽敞明亮，装饰华丽，门窗格扇雕刻精细。祠堂周围有学馆书斋，幽雅清静。祠堂前有种植荷莲的鱼池和造型别致的水上戏台，还有可供看戏的精巧玲珑亭阁。

水池边有雕刻精美的石栏，石栏上刻有浮雕画和诗词书法。正前为三大开间的花厅，左右两侧为“绣楼”，装点别具风格，前后开窗，有扇形、条形、菱形、方形多种形式，工艺精致，颇费匠心。花厅前为花园，透空花墙左右对峙，自然分为东西二园。花园占地面积较大，正前有荷池，名曰“小鹅湖”；西园有西山竹林；东园有稻田。假山、树丛、花圃散布其间，环境清幽绝尘。

朱家花园在滇南一带享有盛名。清光绪三十年(1904)竹楼居士曾作诗赞赏，诗云：“却喜园林入画工，方塘半亩郁葱葱。台榭参差苹蘩里，隐约阑干花树中。水面游鱼争吐月，枝头好鸟漫吟风。静观万物饶生趣，道味诗情两不穷。”

房主朱渭卿，领导过辛亥临安起义，成立南防军政府时，被推为正都统。滇督蔡锷曾授予他陆军中将衔。后因家道中落，花园未能完善，故留下现有景观。

朱家花园是一座私人园林，专家学者们考察后，认为如此巨大规模的民居建筑群体，在国内亦不多见。

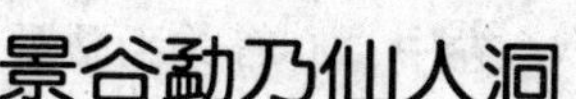

景谷勐乃仙人洞

黄桂枢

勐乃仙人洞是景谷县傣族小乘佛教朝仙圣

地，位于该县正兴乡小黑江东侧，方圆约二十平方公里，有大小溶洞二十多个，其中青树洞、仙人洞、地河洞、漆树洞、花仙洞、团仙洞风景最佳；还有奇峰四座，仙人岩、母子岩、护仙岩和营盘山岩；又有秀丽的帕庄河及地热温泉两处，天然形成了以仙人洞、帕庄河和花仙洞为其主体的三个风景点。

在悬崖陡壁上的仙人洞，海拔1844米，洞高约10米，深约300米，宽约50米，洞中可容千余人，恰似一天然地下宫殿。正殿是帕照(即释迦牟尼)塑像，安放在天然石莲佛座上，侧边有岩石形成的护佛卫士。洞内有万年宫灯、孔雀开屏、钟乳滴泉、石笋吐蕊、华盖迎佛、石柱擎天、佛浴仙潭等景观。

勐乃仙人洞被作为傣族小乘佛教朝拜圣地由来已久。在傣文佛经《丢混》(佛祖游世)中，记载着帕照从勐兰戛(斯里兰卡)到勐卧(景谷)降伏卧劳叭(魔鬼)后，到勐乃仙人洞内沐浴更衣过关门节的故事。东南亚国家的许多佛教徒从《丢混》佛经中知晓了景谷勐乃仙人洞乃小乘佛教朝仙圣地，故仰慕前来亲谒朝拜。清道光《威远厅志》第八卷中，亦有关于勐乃仙人洞的记载。至今，还有光绪六年(1880)朝仙者用傣文写下的题词，清晰可见。

出仙人洞下坡朝西北行至坡脚，即是地河洞，离此不远的河边，即是帕庄热水塘温泉；在温泉和地河洞两旁，有三公里长的一段帕庄河，景色有如长江三峡,游人到此,常流连忘返。走出帕庄河口,乘车两公里向北即到小黑江桥,再入便道二公里,就到美丽的花仙洞、团仙洞了。

勐乃仙人洞是滇南少有的得天独厚的风景名胜地。

民族建筑杰作纳楼司署

汪致敏

滇南古城建水之南逶迤起伏的哀牢山上,有一组壮观森严、恢宏高大的古建筑群,这就是民族建筑杰作纳楼司署。它是纳楼土司之一的普卫寅于光绪三十三年(1907)建盖的。

纳楼司署雄踞回新村最高点,建筑以大门、前厅、正厅、后院为中轴,由南往北一字排列形成三进四合院落。檐角飞翘,雕梁画栋的大门上雕镂门神、龙纹和吉祥鸟图案。门额正中悬挂纳楼司署匾额。门前照壁高大,四周有砖砌、土砌围墙两道,两个三层高的碉楼左右对峙,百余平方米的练兵场地居中。前院是纳楼土司接待府州官员的公务房。正厅为土司审理事务,举行重大典礼之地,其厅堂宽敞明亮,柱粗梁实,上镶天花板,下嵌地脚楼,好似神龛的土司宝座,雕镂精美,三条飞龙盘旋于云山雾海,两只雄鹰展翅欲飞,气势威严。后院为土司家人生活起居处

所，院内设有石缸、花台，卷棚屋顶的过厅居中，两侧置通栏靠椅，供人歇息。其书斋、客厅布局错落，疏密相间，门窗格扇，精巧玲珑，古色古香。整组建筑层层相因，结构谨严，是彝汉建筑文化融合的典型代表，是研究封建土司历史不可多得的实物见证。

近年来，数以百计的中外宾客慕名前往参观，专家们考察后，对这座保留完整的土司衙门给予高度评价。

滇黔交界胜境关

缪开和

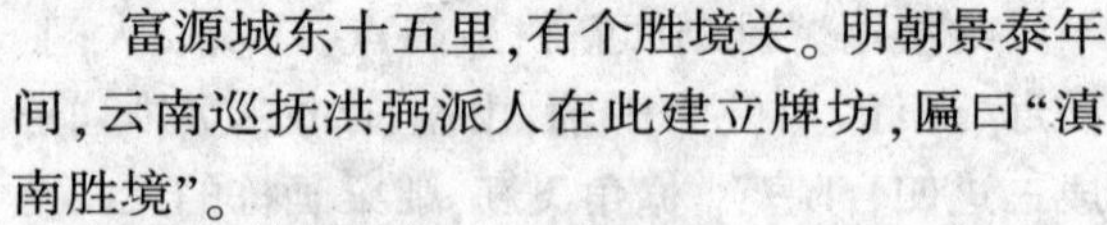

富源城东十五里，有个胜境关。明朝景泰年间，云南巡抚洪弼派人在此建立牌坊，匾曰“滇南胜境”。

这里，群山磅礴，一岭横挡，元明以来，便是滇黔驿道重要关隘（附近古驿道至今仍完好保存），因此有“全滇锁钥”之称。

胜境牌坊高约12米，宽10米，正东西向，十二根楹柱支撑着上下两层飞檐，结构精妙。有趣的是，界坊朝向云南的三根楹柱长年干燥，落有黄尘，朝向贵州的三根楹柱由于潮湿，长了青苔；而正中横梁，也是西面干燥，色黄褐，东向潮湿，色青绿。明朝贬谪云南的杨慎见而惊奇，谓

“此天限二方也”。在界坊附近，有亭历经五百余年，今仍存在。由于过往歇息者多为长途跋涉，故名曰“万里亭”。

胜境关因来往其间者甚多，故赋诗为文者不少。吴自肃《滇境》诗写道：“才入滇南境，双眸分外明。诸峦环秀色，芳树带文情。”真切地道出了久行云雾间，突来满目清明的感受。李恩光《石龙古寺》诗云：“龙岂地中物，何来岗山眠。待到风雷发，乘时欲上天。”则是借景抒写怀抱，颇具气概。最为引人注目的还是那副牌坊上的联句：“咫尺见阴晴，足见人情真冷暖；滇黔原唇齿，何须省界太分明。”楹联用语双关，既说此处地理特征，又道人间做人情理。

行吟诗人朱小和

老贝玛

在滇南洞蒲寨，住着一位哈尼族的行吟诗人朱小和，他所唱的古歌不但广为国人所知，且已传遍港、澳、日本和东南亚。

我第一次见到他，是在一个打铁的作坊里。他是哀牢山的歌王，既是农民，又是铁匠，有如他的古歌所唱的："一湾清溪从门前蜿蜒流过，那是天神给我淬火用的清水。一坡野花遮盖着打铁的偏厦，那是天神夸奖我的手艺如花。"

他身矮头大，整天笑话连篇，诙谑百出。他开口能唱长篇史诗，能讲各种神话故事。他给我演唱过几部史诗，每一部都气势恢宏，意境超迈，尤其那部《哈尼阿培聪坡坡》，以五千余行的宏伟篇章，把哈尼族从发轫迁徙到定居哀牢山的历史全程，描绘得丝丝入扣。此诗经我与几位朋友整理出版之后，研究史诗学、民族学、宗教学、人类学、民族文学的专家学者大为振奋。史诗学界认为“史诗”一体，自亚里士多德以来，历指以荷马史诗为代表的英雄史诗和各国的创世史诗，但此诗却以独特的风格和体裁跻身于诗坛。它以民族的整体流动为主线，形成以诗载史的“诗史”，又在主线之下，展现诸多鲜明的民族英雄性格，有别于前两种类型的史诗，因而学术界不得不重新绳定史诗分类，于是便增“叙史性迁徙史诗”一类，即以《哈尼阿培聪坡坡》为代表。

古彝文与苍颉书

史军超

过去我曾在昆明旧书摊上，购得《大观帖》一册，喜其网罗广博，然于其中之《苍颉书》、《夏禹书》二帖，全不了了，形同天书。

后因研究民族学和人类学，常到民族村寨从事民俗考察。一次到元阳县水卜龙彝寨，投宿于大贝玛(祭司)施文柯家。他见到我所携带的

《苍》、《夏》二帖，竟说此乃老彝文，而且随即认出若干字，我甚骇然，但亦未敢遽信。

事隔数年，偶翻杂志，看到刘志一君的文章。称已用老彝文破译《苍》、《夏》二书，其意与施文柯所说如出一辙。刘文将《苍颉书》通译为“一群妖魔刚到来，树上乌鸦满天飞；割青宰羊祭山神，念经消灾骑马归。五位经师施法术，做斋玩毕魂幡回，消灭鼠精魂归位。”指出此书纯为老彝文。《夏禹书》则是老彝文与甲骨文并用，凡十二字，七字为甲骨文，五字为老彝文，这就不是猜测或巧合了。

过去认为，中国文字最古老者为甲骨文，乃汉族祖先所创造，彝族与汉族先民，曾共居于西北地区，已为学术界所证明。因而老彝文与甲骨文同在《夏禹书》中通用，这是颇有可能的。然而究竟哪种文字更为古老，还须作进一步的研究。

贝玛施文柯两年前已过世，他生前曾向我夸耀自己拥有许多老彝文经书，他说：“有好多在整个哀牢山只是我才有的。”我动员他拿出来整理出版，在反复劝说之下，他终于同意出版一部叫《阿黑西尼摩》的书，其中所叙，几乎囊括了彝族传统文化的所有层面。

最近闻知此书即将问世，除了为这最古老的彝文之得以公开问世而高兴外，也是对老朋友在天之灵的一点慰藉。

傣家习武

程锐耀

武术在傣语中各地叫法不一，西双版纳叫“烦整”，景谷一带叫“令拳”，德宏叫“戛拳”，沧源一带则称为“令拳整”。其项目有拳术、单刀、双刀、长棒、短杠、连夹、铁尺等，共有一百三十多种武术套路。各个套路，都有突出的特点和严谨的程式，还有固定动作图形及判断欣赏的标准。这些武术除了向汉族学来的棍棒和缅甸、泰国传来的刀法外，傣族自己创造的拳术是主要部分。

据说很早以前，一对习武的傣族夫妇武艺不分高低，但又互不服气。一天妻子在纺线，丈夫在一旁观看，悟出了防守和攻击的动作，要像纺线一样布局，便在第二天比武中把妻子击败了。妻子在树林中行走，看到大象的长牙戳击很有力量，便练了一套戳击动作赢了丈夫。丈夫又不甘心，观察到猪尾巴绕八字摆动，调整了步法，又一次打败了妻子。妻子潜心苦练，集各家之所长，练就一套快速轻灵的拳法，最终立于不败之地。这个传说表明了傣族人民在和大自然的斗争中，创立了具有鲜明特色的武艺流派。

傣族的孔雀拳，就是吸收中国的太极拳、长

拳、形意拳和气功等的优点，又模仿泰国拳而形成的体艺结晶。它外柔内刚，手法飘灵，脚步轻盈，尤其是双臂缠绵起伏，带动全身关节和谐运转。通过一连串的优美动作，把孔雀的生活动态栩栩如生地表现出来。孔雀拳的艺术性很强，用象脚鼓伴奏，还有一位姑娘在旁翩翩伴舞，打拳的小伙子身体柔韧地起伏，构成三道弯的形状，只见他挺胸、收腹、提气，头部与眼神配合，动作随着鼓声的节拍而变化，充分反映出柔中寓刚的风格。

傣族武术，已有两千多年的历史，《后汉书·西南夷传》载："永宁元年(120)掸国王雍由调复遣使者诣阙朝贺，献乐及幻人，能变化吐火，自肢解易牛马头，又善跳丸，数乃至千……。"证明掸国雍由调派遣到洛阳的朝贡使团中有杂技、武术人员，以表演幻术名震一时；"又善跳丸，数乃至千"，证明当时掸国已有一批脱离生产的杂技演员，其中不乏高超的武术艺人。

傣族人民习武是为了自身防卫和保护寨子的安全。解放前，要考"昆憨"(即土司在农村设置的常备土官)，武术也是考试的主要内容之一。1942年，日军侵占腾冲县，杀死了两个傣民，永乐寨民更加习武练术，当日军窜到寨子抢掠烧杀时，寨子里会武术的人群起而攻，把鬼子打得狼狈逃走。

虫 王 节

杨毓骧

“虫王节”，又称“祭虫山”，是昆明官渡区阿拉乡撒梅人的隆重节日。年祭两次，一次是在农历七月七日，正是稻谷扬花季节；一次是在冬月十一日收割季节。轮满十二年则大祭一次，仪式异常隆重。

祭典设于干海子边三瓦村山上，山上有三皇庙，供“虫王”神塑像，是专治天下害虫的。虫王两旁，塑玉皇大帝和三皇五帝。三皇是天皇、地皇、人皇。五帝是伏羲、神农、有巢、燧人、保生五氏。庙前竖着一对标杆和碑文，名“百雀台”、“虫蝗所”、“功德所”。祭虫王节日，凡附近佛教、道教、西坡教的教士都要前往三皇庙念经。各村各户的家长，都要缝一个一寸多长的小红布袋，以装稻田中捉到的三条害虫，手持一炷香。各户小袋又集中一个大袋内，由各村的祭师“弥纱帕”，或教士“西波”在前引路，前往祭虫山。念经以后便将装虫的大袋丢进火中焚烧，口里还要念着：“这一袋是某村某家来烧虫。”

烧虫后，每户还要捐功德款，丢入庙前的大簸箕内。据说烧虫以后，害虫便不会来吃庄稼了。这样，轮满十二年，必须举行历时五天的隆

重的祭虫山盛会。届时,大会要扎一百六十个比人高大的纸神,从山脚的三瓦村到山顶三皇庙前,每百步竖一纸神,一曰兔(读卯)神,为兔头人身状;一曰酉神,为鸡头人身状。然后到各村收虫,官渡里一片由兔神(撒梅人称为"烟佐里")收虫;板桥里一片由酉神收虫。收虫时,两神各由教徒抬着,到达村落后,各村每户收集的小虫袋装于大口袋内,一齐抬往三皇庙前焚烧。节日期间,除消灭害虫外,青年男女还口吹树叶、口弦,尽情对歌、跳舞,非常热闹。

克木人的美德

高立士

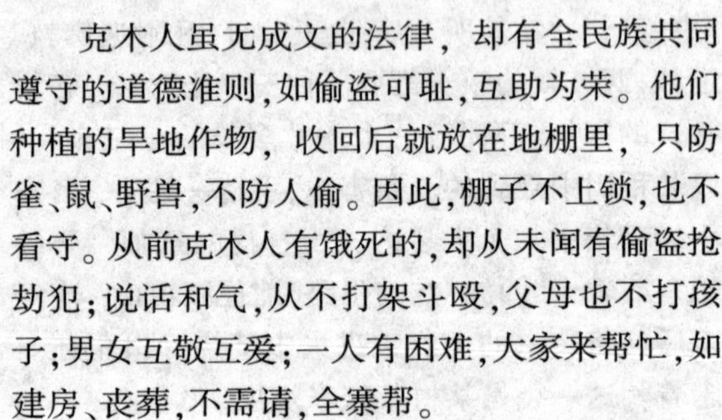

克木人虽无成文的法律,却有全民族共同遵守的道德准则,如偷盗可耻,互助为荣。他们种植的旱地作物,收回后就放在地棚里,只防雀、鼠、野兽,不防人偷。因此,棚子不上锁,也不看守。从前克木人有饿死的,却从未闻有偷盗抢劫犯;说话和气,从不打架斗殴,父母也不打孩子;男女互敬互爱;一人有困难,大家来帮忙,如建房、丧葬,不需请,全寨帮。

借物也是有借有还,信守不渝。在磨锡盐井旁菩提树下有个石象。流传着一则《石象的故事》,歌颂克木人的这一美德。传说石象腹下有一罐奇珍异宝。克木人赶集或赴宴,若无手饰穿戴,就向石象借,手续很简单,只要求借的人怀着一颗诚实的心,向石象叩头,石象肚子就缓缓鼓起,露出一个洞,伸手去掏,求什么就有什么。克木人就用后送还,需要再借,总是有求必应。后来,有一外商,经过这里,发觉这一秘密,起了黑心,借了不还,从此就再也借不到了。至今石象尚存原处。

人兽争穴

史军超

生活在怒江州独龙河谷的独龙族人,当他们还处在穴居野处的时代,往往为一个栖身山洞,要和野兽作殊死的搏斗。

独龙族史称“俅子”,在清《皇朝职贡图》、雍正《云南通志》等书上说“俅人居丽江界内,披树叶为衣,茹毛饮血,无屋宇,居山岩中”,“衣木叶,茹毛饮血,宛然太古之民”。

前些年,有位民族学者前往调查,独龙老人还能指点某某“丁弄邦”(岩洞)是某某氏族的旧居。如“麻库丁弄邦”,就是卜利牙家族的岩洞等等。老人至今尚能述说他们居住岩洞与虎、豹、熊争夺洞穴的悲惨生活。

麻库家族的老人说:麻库·都吉松(其祖)时

代，他们家族的岩洞原是熊洞。有一次，大雪纷飞，寒冷异常，一群棕熊咆哮入洞，欲作冬眠，原住洞内的麻库家族，便被赶出洞外。次日，都吉松找回散落的家族成员，请来各洞邻居，吹角举火，赶走熊群。是夜，熊又来袭，族人连射毒箭，熊负伤滚落洞底，才把此洞变为自己的家。此外，尚有与野兽争穴的有名有姓的好几家。

调查者曾亲临观察过一个岩洞，搭梯迂回而上，洞口如瓮，苔衣蛛网，尘封已久。洞内微有天光，横宽不过二丈，深达丈余，其中两个火塘及石三脚犹存。四个石墩，磨得很光滑；旁有磨石一块，磨制石镞之痕迹犹存。而今这些遗物只是供人凭吊的历史陈迹而已。

跳花坡中的龙

谷　应

"跳花坡"，乃苗人传统佳节。在不高的山头上辟有平坝，大队盛装男女，随笙笛锣鼓绕场起舞。舞队中最奇特的人物是数十百名背负木架的汉子，将木架伸出肩胛一米多，上悬各色绣片——衣、鞋、裙、被、帽、簸、裹腿、围腰……多者达数十件，少者也有十数件，飘飘扬扬，令汉子们有了几分戏曲武生插靠带翎的威风。经问讯，方知木架上绣件均出自妻女之手。家主扛

"花坡"招摇过市,炫耀女眷们的巧手,这习俗,颇令人开心。于是我不知不觉尾随汉子肩上的"家庭刺绣展"绕场而行,注目"花坡展件",那精美异常的刺绣,果然名不虚传。更令我惊诧的是,群集的绣片,总是变着样儿地重复着一个主题——龙。蜷曲的龙、飞翔的龙、爬走的龙、眠卧的龙、正面龙、侧面龙、戏凤龙、衔花龙、有鳞龙、光棍龙……这各式各样的龙,既不张牙舞爪,又不狰狞可憎。苗女创造的龙,全都胖墩墩顶着一个大脑袋,有的栽两只大犄角,有的生一对小豆眼,有的短腿下装了肥乎乎的脚丫儿(脚丫儿上还登了腰卵形小鞋儿),有的脑瓜戴着红鸡冠,纯然一帮"龙宝宝"。鳞片有蘑菇状、三角状、连锁状,杏黄、翠绿、朱丹、鸭黄,搭配得鲜丽活泼。如此装扮,龙们实在像穿了花衣、欢天喜地等待压岁钱的淘气的小子。尾随着、欣赏着,我忍不住想笑,想伸出一根指头去触一触胖墩墩的龙,就像人们见到胖墩墩的小孩忍不住要伸手摸一摸,拧一拧呢!

考纹样史,最早的龙并不那么一副凶相,它是彩陶缸上一尾长着温和面孔的大虫,汉以后才逐渐添了角、鳞、足、爪、须……日渐威严起来。终于,五爪龙竟成了万岁爷的标志,即令皇室之外的四爪龙也脱不了贵胄相。而苗寨的龙,不仅保留了龙早年的温和,还掺和了许多憨态,许多俏皮,这恐怕是远离封建意识的结果吧。

春节接新水

杨应康

云南有些少数民族，除了欢度本民族的新年外，还与汉族一样过夏历新春年。这时不仅家家放鞭炮，户户贴春联，除夕守岁；而且还于大年初一清晨，到村寨附近的泉边、溪流中接新水。这种习俗新奇而有风趣，民族间，又各具自己的特色：白族称为“抢头水”，纳西族称为“买水”。

藏族虽有藏历年，但云南的藏族与汉族一样，仍然过夏历年。大年初一，天还未亮，妇女们就背上一个长条形木桶，蜿蜒行进在山间，到箐中溪流去背水，称为“吉祥水”。如果哪一家第一个背回“吉祥水”，不但全家一年吉祥，而且来年风调雨顺，牛马强壮。

滇东北一带山区的壮族，大年初一接新水活动，则主要由妇女进行。当天亮时，妇女们都换上节日盛装，挑着水桶去河里或井中取新水，接着用接回来的新水煮红糖姜水，供全家人痛痛快快地喝，以祝福一家人来年更加智慧和聪明。饭后，妇女们还要相约去河里挑水，行路途中要抱着或拖上一块石头，以代表家养六畜，边走边学猪、牛、羊的叫声，表示来年牛肥马壮，六畜兴旺。

独龙河上的溜索

蔡　嘉

独龙族以居住在滇西北众山环抱的独龙河谷而得名。这条异常汹涌的独龙河，自北而南再向西，流入缅甸的恩梅开江，全长约一百五十余公里。因河中多石，水流湍急，不能行船，沟通两岸的惟一交通工具，是架设藤篾溜索以飞渡天堑。过河者每以粗实麻绳系于腰臂，仰身绑在竹、木做成的两块“溜梆”上，溜梆再套合在溜索上。飞渡时，双手扶抱溜梆，蹲腿腾空下滑至河心，然后手足并用攀索至对岸，此为“平溜”。“陡溜”的架设，于两岸一边高一边低，过河者从高处可以一直“溜”到彼岸，中途无需攀越，但更为惊险。为防止溜梆和溜索相互快速摩擦生热而断裂，过溜者常携一块湿布，敷于溜梆上用以降温。

溜索的架设，多在枯水季节。两岸的架设者们相约于河床较窄处，一方用弩弓竹箭射向对岸，箭末系有细长麻线，连结藤篾绳索，拉到对岸，于两岸高地上的粗壮树干或突兀的岩石上，分别绑牢，即可通人。也有用树叉削成木钩，钩上坠以卵石，钩末系以逐段增粗的藤篾，双方同时朝河心下游对掷，直到两钩在水中互相钩住，一方顺水势提拉上岸，架成溜索。这是世代居住

在自然环境极为险阻的条件下的独龙族的一种创造。

独龙江无人区的糌粑袋

杨毓骧

在祖国西南边陲的贡山独龙江乡，每到春冬两季,就被高黎贡山的皑皑白雪所封盖,除电话线能从贡山县城通独龙江乡政府外，一切都隔绝不通。

独龙江乡，世世代代生活着勤劳纯朴的独龙族人民,至今仍保留着夜不闭户、路不拾遗的古朴遗风。

有一年的初秋，我曾参加独龙江上游滇藏高原民族考察工作,沿独龙江峡谷北上藏区,时经两月,我们过溜索,攀绝壁,登雪山,强渡泥水流天险。当进入滇藏边境无人区的张巴梯木原始森林里过夜时，护送我们的七位独龙族兄弟立即放下行装,冒着雨,用长刀砍下树枝,在一棵参天的大树根下,搭起简易帐篷,架起篝火,取来泉水,烧茶煮糌粑粥,烤土豆,吃和睡都在途中解决了。

次晨,用过早餐,独龙兄弟将吃剩的糌粑抛入炭火中,表示征途清吉,来年丰收。将烤干的木炭搁在一旁,留给打猎人生火之用。他们还爬上大树,用刀砍断树藤,把准备好的糌粑袋悬挂树上,袋上横插细棍一根作为标记,以便返回独龙江时途中食用。

这只糌粑袋挂上树后，如果有猎人或挖药人发现,即使腹中饥饿,也不擅自取食。独龙人的高尚品德,至今犹存。

舂米声声佤寨情

杨应康

佤族妇女舂米很别致：碓窝是用粗树凿成的。杵棒长 1.5 米,两头粗,中间细。舂时人数不等,少则一人,多则四五人,一齐围着碓窝舂。人多,就由一人起头,依次接下去,但每人只舂一下,等所有人舂完后,再由第一人舂,如此往返循环,直到把稻谷舂成白米。

极富情趣的舂米，是在晚饭后姑娘们上场时开始的。当她们从屋里抬出谷子，倒入碓窝后,小伙子们便会借种种理由来到碓窝边,先是一般谈谈,接着就帮助舂米。很快就有许多小姑娘、小伙子参加进来。人多了就轮班舂,大家在舂米声中,引乐逗趣,唱调对歌,气氛热烈,舂米声淹没在欢笑声里。有的就借这个机会寻找知己。如果某个小伙子看中了某个小姑娘,当夜必到小姑娘家“串门”,倾吐爱情,结为伴侣。

佤族的舂米，舞蹈味浓。舂时双手伸直，高举过头，踮脚尖，起后跟，身后仰，将力气聚集在杵棒上，然后重重地落入碓窝，立即又把杵棒搁在碓窝边，待其他伙伴接舂。这一系列动作，犹如舞蹈一般，使人感到新鲜而奇特。

做客傈僳寨

王嘉相

我曾从六库沿怒江峡谷前往福贡县上帕寨做客，桐林翠竹掩映的福贡县城离上帕寨不远。顺着铺满碎石的山路缓缓而行，见路旁有排排松枝，据传统，这是傈僳人家迎客的标志，表示家中有贵客将至，并祝客人吉祥平安。在木栅栏的缝隙中露出傈僳姑娘的脸庞，一阵甜甜笑语，清亮歌声，飘然而至，这是傈僳人家的迎客歌，唱词大意是："高高的碧罗雪山，隔不断我们的友情；滔滔的怒江水，一样不能将我们分开；远方的客人，请到我们山寨来做客。"我们踏着歌声，沿着木梯登上了傈僳人家的木楼。姑娘温良的目光，将我们让进楼房，主人阿普大爹则在门口迎候。我们刚在火塘边的草垫上坐定，姑娘们就取来六只大碗，放入烧红的食盐，冲上用土罐烧煮的茶水，说："这是傈僳人的盐茶，先驱驱风寒。"一碗盐茶喝下，身子顿觉暖和起来，疲劳也

消除了许多。随后，姑娘们举着金竹做的酒杯来给我们敬酒。酒是用玉米、高粱、籼米酿成的，称为“杵酒”，有解渴、解疲劳、助消化的功能。主人向客人敬过三杯酒以后，姑娘们一齐拥了上来，要同我们喝一杯“同心酒”。同心酒，傈僳人称“双杯倒”，姑娘和客人要相互搂着腰，共同握着杯，脸贴脸，口并口的喝。喝下同心酒，大家颇饶兴味地说，这样喝酒，有生以来还是第一次。随后，姑娘们自动围成一圈，在傈僳琵琶和口弦伴奏下，一边唱起祝酒歌，一边跳起傈僳舞蹈，跳着跳着，姑娘们纷纷伸出手来，把我们都引进了舞圈。舞蹈越跳越欢快，越跳越热烈，一直跳到太阳西斜，晚宴开始。

晚宴习俗是：不是贵客不吃抓饭，晚宴没有杯盘，没有筷子。簸箕正中，除烤乳猪外，还有一堆以玉米、稻米、小麦、小米混合焖成的饭，味道特香。每个客人的面前，仅放着一碗鸡汤。晚宴上没有酒也不敬酒，更没有高声喧哗。晚宴结束后，座中最年少的得将簸箕送还主人。

晚宴结束，歌舞晚会开始，主人、客人齐参加。晚会是热烈、欢快、祥和的，一直进行到深夜。当客人辞别主人，踏着月光，走在回归的路上时，姑娘们又一次唱起了送客歌：“傈僳人的心，比月亮还要透明，客人的心，比山泉还清亮。醇香的杵酒，留下了客人的心，友谊如怒江水源远流长。”大自然造化了怒江的山水，也造化了傈僳人纯朴的民风。到傈僳人家做客，留下的是

永远难忘的记忆。

哈尼人的闷锅酒

杨进田

哈尼族的闷锅酒，没有考究的标签和美丽装潢，但其味醇香，有沁人心脾之魔力，并饱含着哈尼人的深情厚谊。每当客人来到哈尼山寨，毫无陌生之感，刚跨入门槛，主人都会双手捧一碗闷锅酒敬客，微笑着看客人豪爽地一饮而尽，接着就热情高兴地款待来客。

哈尼人的闷锅酒，既是款待客人的佳品，又是一切喜庆节日中的主角。“扎勒特”(十月年)一到，寨子里就要举行“只角奇”(轮流喝酒)。在此节日里，全寨每家都要做一桌美味佳肴，抬来摆在路边。全寨男女老幼便自动聚拢，自愿组合品酒。席间，老人们品着闷锅酒，会情不自禁地唱起动听的酒歌。当某家盖好新房，祝贺的客人一边喝着酒，一边成串地唱贺新房歌。玉车(哈尼族支系)青年交朋友，谈恋爱，闷锅酒则又被作为牵线搭桥的媒婆。

哈尼闷锅酒是在甑子里经蒸馏滴成的，因此在酒宴上也要往客人盛满酒的碗里滴上几滴，以表示酒源不断，友谊长存。

打鼓草

尧甫

在云南东北部的一些地方，从前每当庄稼需要薅锄的时候，常常听到山间平地，鼓声冬冬，歌声四起，那里人称之为薅"打鼓草"。

庄稼薅锄需要及时，由于单家独户，人力不足，于是便有人出来组成一支劳动队伍，去帮助人家薅锄。薅锄队伍的组织者，既是领队，也是鼓手；他在田地里打着鼓，唱着歌；薅锄的人，随着鼓点子，鼓手唱一句，大家跟着齐唱一句。一面唱歌，一面薅锄，几十个人一字排开地、很有秩序地向前推进，一片田地，一会儿便薅锄完毕了。

薅锄时鼓手领唱的山歌，有的是鼓手临时自编，或鼓励，或批评，颇饶风趣，有的则是民间流传的历史故事或爱情唱词。如：

山歌好唱口难开，仙桃好吃树难栽；
白米好吃秧难插，鲜鱼好吃网难抬。

好久没到这边来，这里凉水起青苔；
伏在井边喝凉水，一朵鲜花冒出来。

郎是天上紫微星，妹是地上青草坪；

哥似星星妹似月，同为大地洒黄金。

这些山歌，自然朴实，到薅锄时节，歌声鼓声，此伏彼起，这种寓娱乐于劳动的场面，既作到相互帮助，又提高了劳动效率。请人薅锄的人家，除招待饭食外，也要付给一定数额的劳动报酬。

我在家乡，曾见过薅打鼓草时的盛况，离乡数十年，那响彻山谷的悠扬歌声，那节奏嘹亮的冬冬鼓声，还不时萦绕脑际。

摩梭人的丧礼

阿　华

宁浪摩梭人的丧礼中，有一个意味深长的习俗：当嫁出的女儿死后，死者的弟兄在外甥们的三邀四请之后，身披毛毯，腰挂长刀，带着祭品被簇拥而来。来到姐妹家住的寨子时，先鸣枪报信，外甥们听到枪声后，立即出门至路旁脱帽叩迎。舅舅照例责问："我的姐姐(妹妹)前两天还好好的，怎么突然死了？是不是你们虐待了她？"并拔出长刀，在丧家门槛上连砍三刀，以泄悲愤。外甥们则要尽量赔不是，之后，舅舅扛着长刀站在门口唱起挽歌；唱毕入室，脱下毛毯，披到死者身上。整个丧礼中，舅舅被尊为上宾，不能有所疏忽。

此一习俗，带有较浓厚的母系制色彩，体现

了“一家之中舅为大”的观念。我在永宁参加过一位中年妇女的葬礼，整个仪式过程，舅舅都居于突出地位，敬酒敬茶先敬他，一些事要由他发话作主张。

打　歌

何祥庆

佤族最盛大的歌舞莫过于“克绕易”了。翻译成汉语便是打歌。打歌这一古老的集体舞，是佤族人民喜闻乐见的一种娱乐形式。逢年过节，人们都要隆重举行打歌活动，通宵达旦地连续跳上三五天。

跳打歌时，龙腾虎跃，热闹极了。人们穿戴的装饰品项链、耳环、手镯等，闪光耀眼，叮当作响，特别是妇女们头上戴的红得像山茶花一般的球团，把场面点缀得更加美丽。吹手们吹着葫芦笙，其他的人们手拉手，围成一个大圆圈，依着欢快而有节奏的乐曲，跟着吹手，徐徐地向前迈步。吹手向左转，人们也向左转；吹手向右转，人们也向右转；吹手顿脚，人们也跟着顿脚。还不时地高喊：“嘿儿，沙日安高(使劲跳啊)！打歌罗！”

在打歌场的中心，人们按传统习俗，插上一棵用枝叶茂盛的松树、芭蕉树和甘蔗结扎成的团结树，再用一品红、白露花、董棕果和金黄的

稻穗，把团结树装扮得五彩缤纷，象征着一年一度的新春佳节已经来临，象征着佤族人民生活像团结树一样四季长青，永不凋谢，节节上升，五谷丰登。团结树旁的一张桌子上，摆设着糯米粑粑、茶叶、烟草、芭蕉。过去，这是酬谢鬼神的礼物，打歌场上摆上这些东西，表示全寨子的人们将永远甜蜜、和睦地在一起。

个旧的锡制工艺品

罗 佩

素称锡都的个旧市，是我国历史悠久的锡制工艺品基地。据《个旧县志》载："县属虽产五金，惟锡器为大宗。工艺品工人制造即以锡为原料，熔成薄片，然后仿造各种器具，以玩品为多。因质料既真，技术亦好，颇为远近客商所喜购，每年可出十五万余斤。"又据有关资料介绍，东西方早期的锡器都是作为教堂和寺庙祭坛上的礼器，而我国在明清时代就已进入民间生活领域了。当时滇川黔一带的姑娘出嫁，大都要陪嫁一套锡制的洗脸盆、胭脂粉盒、壁油灯、酒具、茶壶、花瓶等。一般殷富之家的供桌上，都陈设着锡制供灯、香炉、蜡台、供盘等。这些锡制品多为个旧艺人制作。因此，川、黔、粤、闽及南京等地都有来个旧学艺的匠人。

当时省外锡料来源困难，开店的不多，一般都是挑着担子，走街串巷，回收旧锡器制作翻新，人称“担担锡器”。他们来到个旧，一面收购旧锡器，一面观摩学习技艺，有的就在个旧安家落户。1938 年以前，个旧不但有“担担锡器”，而且已有四十多家店铺专营锡制工艺品。这四十多家店铺集中在一条街，称为锡行街，其中以罗耀福和李伟卿两家较有名。他们的技艺独特，做工精细，善于在小件上雕刻人物、花卉、山水、动物等。刀法挺拔流畅，具有民族风格的白描特色。

李伟卿的作品尤为珍贵，他在锡器制作上，不用一点模具就能打出人物、花鸟、鱼虫……30 年代，他制作的“关云长勒马望荆州”，神态逼真，荣获巴拿马国际博览会金奖。另外，他制作的十二生肖为顶盖的餐具，造型大方别致，小动物活泼生动，被收藏家视为珍品。现保存在个旧市文化馆文物室的锡工艺品“青牛”、“白象”，是李伟卿留下来的代表作。

丽江铜器

玉 佳

丽江一带的纳西族喜欢使用铜器，如铜制茶壶、锣锅、火锅、面盆、盘、瓢、勺、桶、甑、灯、烛台、香炉、佛像、铃、钹、锣、笔架、墨盒、镇纸、印章以及铜饰品等。好几个系列的几十种产品，大小花样各有变化。逢年过节，婚娶祭典，主妇们常用木柴灶灰将其擦拭得锃亮，溢红泛黄，陈设得满屋喜气洋洋，增添了节日气氛。凡姑娘出嫁，其嫁妆中少不了若干铜器，每种两件，成双成对，以示美满。这些铜器造型精美，古朴典雅。有的铜器边沿或外壁雕刻着各种民族图案；有的刻山水树木、珍禽异兽；有的刻富有诗意或哲理的名句题辞。因而，这些器皿既大方实用，又常常是精美的工艺品。在滇西北声誉颇高，受到纳西、藏、白、彝等民族的欢迎。据40年代到丽江的俄国人顾彼得研究：丽江“铜器中含金量很高”，“有奇异的光泽”，“因为铜是从盛产黄金的、离丽江只有一天路程的金沙江边开采来的”。

丽江铜器中尤以铜锁最惹人注目。它略呈长方形，结构巧妙，中有舌簧，随锁钥上下启动锁柱以开关，如“将军不下马”型，不经锁上，钥匙是取不出的，也就不致把钥匙遗忘。锁面虽仅方寸之

地,能工巧匠们却能在上边雕刻各种精美的花卉图案,刻上“吉祥如意”、“福寿安康”等祝福语或诗联。它一般用黄铜制造,手工抛光,金光耀眼而结实耐用。由于铜锁小巧玲珑,美观实用,人们常用作礼品馈赠亲友。明末,徐霞客到丽江,当时的木氏土司,就曾以铜锁相赠。

至20世纪40年代,丽江铜锁及其他铜器的生产仍为手工操作。大研镇四方街西北角有一条金鑫街,就是一条铜器生产街。店铺上百,每店生产者二三人至八九人不等。铺面或悬或摆满铜制品,制作时敲击之声此起彼伏,仿佛是在演奏一曲生产交响乐。亲临其境,别具一番情趣。

户撒刀

林志远

阿昌族人锻造的“户撒刀”,出于陇川县户撒乡,以其“柔能半圆,利能削铁”而闻名遐迩。

史载:14世纪末,明将沐英奉命发兵麓川(今瑞丽、陇川),屯军户撒数年。明军中有专事锻造兵器的工兵。阿昌人向屯军学会了这门锻造铁器的技术,不少人便以锻造农具、炊具为生,代代相传,技艺日益精湛。特别是所制刀具,有长刀、短刀、藏刀、佩剑、生活用刀等,明代后期已闻名于中原。

户撒的工匠们继承了传统工艺，对刀具制作不断创新。他们严格选料，一般都用上好的弹簧钢等制作。外壳、刀把，也总是用好铜打制。锻造时，大锤、小钳配合默契，边烧边锻。每种刀具的形状、厚薄、长短、宽窄都力求恰到好处。刀具蘸水时，注意掌握好火候、时间、水色，使刀口硬度适中，刀刃锋利而耐碰。在装饰装配方面，藏刀叶面一般都刻有“双龙抱柱”、“二龙抢宝”等龙、凤、花、鸟等图案。佩剑、腰刀和藏刀等，都配上铜壳、铜把，使之金光闪耀，光彩夺目。

料丝灯

龙　年

料丝灯创始于明代中叶。紫檀或红木为架，而装以人造料丝，上绘图像而成。清檀萃《滇海虞衡志》云：“料丝灯，出永昌。言取药料煎熬，抽丝，织之为灯，故曰料丝。其药料则紫英石、钝磁、赭石之属，不一类也。始出于钱能(明宪宗时镇守云南的宦官)，以此进上，不使外人烧造。能去，始习为之，顾更精，长大几二三倍，价甚昂。”

料丝灯即宫灯，明代即作为贡品。其制法后传于丹阳，清代犹有生产者。明代所制今已不可见，据先父讲，余祖母沐家犹有一对，然以当时年幼，已不复记忆。

开远甜藠头

王建华

开远甜藠头，是云南传统名特食品之一。在清代，曾是指定的进贡食品。甜藠头具有开胃健脾、去油腻、增进食欲的作用，吃起来嫩、脆、酸、甜而略带辣味，十分爽口。它既可单独食用，也可作为配料，制作美味佳肴。因而在清宫中留下了"久吃龙肝不知味，馋涎只为甜藠头"的赞语。

藠头在开远原为一种野生植物的地下茎头，因遇灾年，有人挖来充饥，发现了它的食用价值。1876年，开远的一位有名酱菜制作师王宝富开始用它来腌制咸菜，一上市，就深为食者欢迎，产量与日俱增。山区农民也就开始种植藠头。

甜藠头的腌制方法是：选个大肥嫩的藠头，去根须，洗净晾干。每一百公斤晾干的藠头，配精盐十公斤，新鲜红辣椒(勿切)七公斤，上等红糖四十公斤，白酒三公斤。拌均匀后装入大口腌缸，每日用木制柄器翻动一次。一月后换装小口小罐加泥封盖贮存，三个月后即可食用。

祥云酱辣子

茶山青

祥云酱辣子，具有酱香、辣味鲜美、色如琥珀等特色，远销省内外及东南亚地区。它是采用青绿色寸金二花辣，加五香酱油以传统工艺加工制成的，历史悠久，远近闻名。

光绪十四年(1887)及民国十四年(1925)廖寿初与万惠廷先后在祥云县城开办乾泰丰、万宝斋酱园，开始生产酱油、酱辣子等食品。民国十五年(1926)，乾泰丰酱园的继承人廖善积，根据自幼在酱园生长而积累的生产经验，将精选料、细配方的传统生产方法，加以改进，使生产的寿星牌酱辣子从色和味上提高了质量，受到顾客的青睐，因而门庭若市。民国二十一年(1932)，万宝斋万惠廷深受乾泰丰酱园的影响，也千方百计地扩大作坊，精细加工，使产品质量更进一步。从这年起，万宝斋酱园日益兴旺，年产三千多斤酱辣子，畅销不衰。

滇缅铁路开工期间，祥云酱辣子的生产和销售进入了高峰阶段。酱辣子不仅畅销省内外，而且走进了国际市场。许多在祥云段修路的工人，将祥云酱辣子带入缅甸、泰国、新加坡等东南亚地区，赠送亲友；许多祥云籍华侨回乡探亲

后，也纷纷买了带走；缅甸、泰国的部分商店也开始了经销，使祥云酱辣子的声誉很快传遍国内外，成为高档美食，名贵礼品。

民国三十二年(1943)，还有一个由樊恩培经营的宝丰隆，在生产过程中，请本县华严村的技师李国相作技术指导，进一步提高质量，使得工艺考究，配料齐全，产品色香味俱臻上乘，从此县城内外及外地顾客一买酱辣子，都要认购宝丰隆的，成为一块金字招牌。

过桥米线

莫洪鑫

云南过桥米线，起源于建水，经过清朝咸、同、光、宣及民国时代的改进发展，成为云南独特的美食。在建水，还有种种不同的配料和名称。以当地特产草芽、地茭作配料外，佐以藕片的称为“十七孔桥米线”；用草芽烹制猪、鸡、鸭肉汤的叫做“白鹭抬鱼”；用乌鱼片代脊肉的叫做“乌龙奔大海”，或叫做“乌龙钻鲊鲊草”；仅用鸡鸭汤的叫做“双凤争窝”；用草芽、猪、鸡、鸭汤汆加工过的啪猪瘦肉片的叫做“象牙啪猪脚”；用鳝鱼片、青豌豆拌的叫做“黄龙戏珍珠”；用油炸豆腐、腐皮、大豆芽、冬瓜，并以香油代猪油烹制的素食过桥米线，叫做“白头翁”……

清咸丰年间，建水有一名刘家庆的厨师，在鸡市街头开了一家叫做宝兴楼的米线馆。一天早晨，一个举止文雅，穿着讲究的人到他馆中吃米线。他叫店主人按他介绍的方法，做出汤来配米线。其法为：取生猪脊肉切为小薄片，用小粉水揉捏后，盛于一个大碗中，以熟猪油约一调羹淋于脊肉薄片上，并盖上几片地荽叶子，然后舀一大勺草芽鲜肉汤汆入碗中，另用一个碗盛米线。店主人刘家庆照此做好后，端到他面前。这顾客用筷子在汤中烫上肉片，搅拌片刻，然后将米线挑入便吃起来。此人名叫李景椿，建水新桥街人，道光乙未进士，多年来在外省做官，回乡后仿照外省人"涮锅子"的吃法，试用小粉揉捏过的脊肉薄片汆汤食用，其味甚佳。

刘家庆对李的吃法感到兴趣，便问这叫吃什么米线？李景椿回答道："我从桥东(锁龙桥)来到桥西吃米线，人过桥，米线也过桥，我是吃过桥米线。"

后来，刘家庆便采用李景椿介绍的方法烹制汆肉汤卖米线，并以李景椿说的"过桥"命名。

过桥米线之名，据传即由此而来。

弥渡发卷蹄

赵阔

卷蹄，香味扑鼻，色泽好看，是弥渡著名的熟肉制品。

弥渡，猪多肉肥，为便于保存和流通，人们就想方设法加工制作，卷蹄就在这样的背景里被创造出来了。

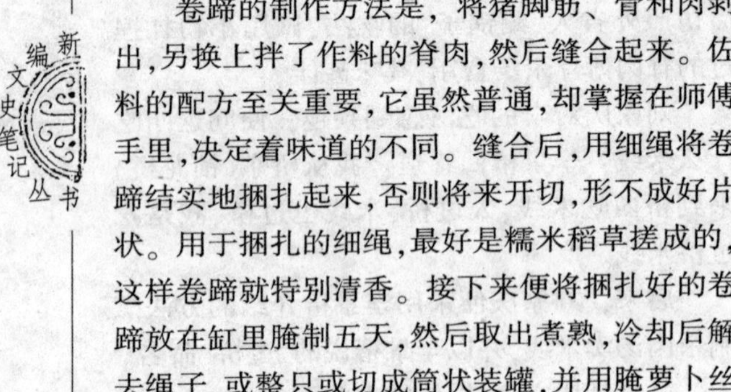

卷蹄的制作方法是，将猪脚筋、骨和肉剥出，另换上拌了作料的脊肉，然后缝合起来。佐料的配方至关重要，它虽然普通，却掌握在师傅手里，决定着味道的不同。缝合后，用细绳将卷蹄结实地捆扎起来，否则将来开切，形不成好片状。用于捆扎的细绳，最好是糯米稻草搓成的，这样卷蹄就特别清香。接下来便将捆扎好的卷蹄放在缸里腌制五天，然后取出煮熟，冷却后解去绳子，或整只或切成筒状装罐，并用腌萝卜丝将空隙处塞满，密封贮存。

这样的卷蹄，可随时从罐中取出切片食用。那像一枚枚金钱般的卷蹄，不知者还猜不出是猪身上哪一部分做成的。

大理砂锅鱼

苏松林

砂锅鱼是大理白族的一道传统名菜，它以洱海出产的黄壳鱼（即金色鲤鱼）或弓鱼为主料，配上其他调料，用特制的炊具——挖色大城出产的平扁砂锅烹制而成。由于砂锅鱼色香味俱佳，营养丰富，具有浓郁的地方民族特色，所以深受当地群众和外地客人的欢迎。

白族人民吃砂锅鱼，喜欢酸辣口味，其法先将鱼刮洗干净，除去内脏，放入砂锅内清炖片刻，有条件的用骨头汤炖。然后加入香油、猪油、辣椒面、盐、花椒、胡椒、葱、姜、红糖、木瓜醋等佐料。到鱼煮熟时，再加入一定数量的鲜豆腐，稍煮后，即可食用。有的人又根据自己的爱好，加入青蚕豆米、韭菜根等时令菜蔬，亦别具特色。这样烧制的砂锅鱼，突出鱼的鲜味，酸辣适宜，异常爽口。

抗日战争期间，大量北方人到了大理。为了适应不吃辣椒者的需要，大理砂锅鱼的做法有了较大的改变，主要是减去了辣味，增加了配料，如鲜肉片、嫩鸡块、火腿片、海参、金钩、鱿鱼、猪肝、蛋卷、冬菇、玉兰片等。突出“鲜、甜”二字，口味平和。

砂锅鱼最讲究鱼的质量。鱼一定要新鲜。黄壳鱼以冬季产的为最好,细刺少,香味浓。弓鱼是洱海特产, 以冬季到桃花开这段时期产的最好,桃花开放时节的弓鱼称为“桃花弓鱼”,鱼肉肥嫩,鲜美异常。豆腐一定要特别新鲜,以喜洲、周城、挖色等地产的为好,鲜嫩味正。

砂锅鱼做好后,连砂锅端上餐桌。这时,鱼汤沸腾翻滚,香味四溢。黑色的砂锅,银亮的鱼身;白色的豆腐,翠绿的葱花;鲜红的火腿,黄色的蛋卷等。真是色彩艳丽,香气诱人,吃起来舒适爽口,独具风味。

白族炖梅

杨应康

白族炖梅,历史悠久。明杨升庵《滇南月节词》中吟道 :“ 五月滇南烟景别,清凉国里无烦热。双鹤桥边人卖雪 , 水碗啜 ,调梅点蜜和琼屑……” 说明当时卖雪者已在其中调入炖梅作饮料了。

大理洱海一带的白族多喜栽梅, 洱海东岸梅树成片成林。每当梅子成熟季节,人们除把大部分加工成干梅坯外, 还要供应其他无梅的白族群众作炖梅。

炖梅制法为,挑选个大而不烂的苦黄梅作原

料，先用清水洗净，放入大陶罐内，撒上盐，渍上两三日，再将罐置于灶膛内。罐四周用粗糠、木炭粉作燃料，生成子母火慢慢加热，并经常注意加水。这种慢火一直要坚持四五十天，罐内黄梅便炖成软而乌黑，犹似一颗去蜡壳的药丸，即为炖梅。复经过几天冷却后，便抬出来放置于干燥处，以备食用。炖梅存放一年半载都不变质，所以白族人民常用来作待客及馈赠亲友之礼物。

炖梅酸味纯正，且具香味。因此，不喜欢用醋的人家，常用它来拌凉菜，或做凉豆粉及煮酸辣鱼的佐料。要是用炖梅加糖做成饮料，喝上一杯，既能沁人心脾，又能清暑解渴。

建水草芽

曹天明

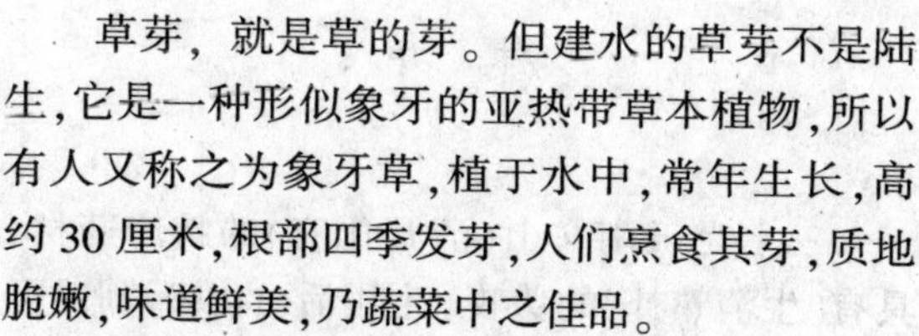

草芽，就是草的芽。但建水的草芽不是陆生，它是一种形似象牙的亚热带草本植物，所以有人又称之为象牙草，植于水中，常年生长，高约 30 厘米，根部四季发芽，人们烹食其芽，质地脆嫩，味道鲜美，乃蔬菜中之佳品。

建水县之草芽，历史悠久，远近闻名。若有来自远方的亲朋，好客的建水人常用草芽款待，以示热忱。外地人到建水游览或出差，也要亲口尝尝它的鲜味。

当地人烹食草芽，有些讲究。脆嫩的部分不用刀切，用手把它一节节地折断，这就不沾铁腥味。烹调时，佐以鲜猪肉或猪肝、火腿、鸡蛋炒之；炒时只宜在热锅内短时炒拌即可，切忌炒得过久过熟。草芽也可用来氽肉汤，其味鲜甜。用草芽汤制作的过桥米线，是建水饮食中的美味佳肴。草芽的根茎，可切成薄片，用咸菜炒食，另是一番味道。

草芽主要产于建水城郊红庙村一带，每天傍晚，一片片纤细的草芽叶子，随晚风轻轻拂动，有如一层层翻滚的绿波，煞是好看。清晨，是采摘草芽的最佳时间，在近公尺深的淤泥中，先用脚在草芽棵根部探查一下，再用手往根部摘断草芽，拿出水面，用清水漂洗后，洁白如象牙，真有出淤泥而不染的风格。

开化三七

林冲

三七是云南文山（清开化府）的特产药材，具有“生消熟补”的功效。生用活血化瘀消肿，可治疗外伤、妇科疾患；熟者如炖鸡或用鸡油炮制后则为补益药。三七虽早为省内外所知，但进一步的推广，则与萧光汉分不开。

萧光汉，文山人，就读北京大学时，有次患

了胸膜炎，住院治疗后，遗下严重的偏头痛，一直没有断根。1935年他回家过年，病又发作，幸得其父亲所制的三七粉，他连续服用几次之后，偏头痛彻底痊愈了。于是，他对三七产生了浓厚兴趣。1937年他寒假回乡，再次深入了解三七的药性和疗效。获知此药不但治外伤和妇科疾病有特效，而且用油炸碾面后每次吃上一小汤匙，还能提高体质，减少疾病。他父亲和一些老人，就因经常服用熟三七粉，虽年逾古稀，仍精神矍铄，健康长寿。他感到这样的良药，有进一步推广的必要。

1938年春，他在昆明开设了“开化三七庄”。他严格遵守货真价实，童叟无欺的商业道德，进货时虽然上当受骗，也不转嫁给顾客，为三七庄建立了信誉。局面打开后，接着便制售加工熟三七。1939年冬，他的生熟两种三七粉正式投放市场，特别是熟粉，经患者服用后效力显著，立即成为畅销品。熟三七粉即按文山古方用鸡油炸后碾成，取名“精三七粉”，很快便远销到国内各省以及港澳和东南亚一带。

建水石榴

钟建萍

建水县是远近闻名的石榴之乡，所产石榴几乎占领了云南市场。每逢农历九月中旬，你只要踏上建水的土地，就会看到郊外的田园、土坡，全隐没在大片绿色石榴林中，而在绿色下又繁星般点缀着一只只暗红色的石榴。要是再走近一看，石榴已经熟透了，有的还张着娇艳的小嘴，露出满腹珠宝似的水红色子儿。

建水的石榴，有头花石榴、沙壳石榴、大米儿石榴、酸石榴、甜石榴……而其中最有名的是酸中回甜的菠萝村石榴。如果你来到石桥或朝阳楼下的水果街上，那卖石榴的人会向你吆喝道："喂！尝一尝，正宗菠萝村的石榴！核小、瓤厚、皮薄，老树上的……"他们的话一点不假。建水酸石榴特别硕大，挺压秤的，有的一个就有一斤多。建水酸石榴能生津止渴，吃上三五个后，吃饭时会突感饭量大增，特别是孕妇最喜欢吃酸石榴。好多农家也喜好把石榴挂干，储存备食。如你走进农家，举目一望，屋檐下琳琅满目吊的全是一串串圆溜溜的石榴，是待来年春节时享用的。虽然表皮看来干瘪，但内里的米儿仍然鲜红饱满，味汁不变。喜爱喝酒的男子，常把石榴米泡在酒里，浸上一段时间，别具一番滋味。

建水人走亲访友，定要带上一兜酸石榴作馈赠礼品。外地人来建水，也要卖上几斤石榴带回去给亲友品尝。

汪湛海设计昆明城

罗养儒 遗稿 王 樵 整理

民国初年，昆明城郭犹存，后因扩展街道，城墙和四门陆续拆除，但城门称谓，人们仍一直沿呼。但昆明城郭，究竟何时建置，却鲜为人知。

传对昆明城市建设有一全面规划，始于明洪武间，主持建城工程者为汪湛海。

汪湛海原系某省一府官，为一堪舆家，复解工程，受明廷征召至滇，着其总持昆明城池之建置。汪抵昆明，审山龙、察地脉、别阴阳、建子午，就高下而奠基础，取形胜而立范围，经八年之惨淡经营，功始告成。

汪氏建昆明城，系法一龟形，以南门为龟头，北门为龟尾，大小东门与大小西门为龟之四足。龟是灵龟，尾掉而足动，故北门内城门作北向，郭门则不向北而向东，是龟掉尾也。大小西门及小东门三道城门，内则向东向西，外则向南，取其足之动也。惟大东门则内外如一，是以东方属木，宜伸而不宜屈也。

以昆明城池像龟，是因城于蛇山麓，与蛇山之气脉相接，成龟蛇相交之象也。

相传汪湛海建城时，是在五华山之右支山脉上有一结成瓜形之高突处而定罗盘针，后即就此而建巡抚公署。以劝业场北端是阴突，遂建城隍庙以镇之。以太阳宫处开有阳窝，故建太阳宫以镇之。又传汪于城将建成时，特制一石，刻字曰“五百年前后，云南胜江南”，埋于地下。

汪湛海之建城，半就山川形胜而筑城凿池，半为依据阴阳五行而决地位、定方向，今城郭虽拆而名称犹存，故记此以资参证。

云南贡院

马子华

云南贡院，在昆明城西北，是明清秀才应乡试的试场，位于螺峰山西段，呈坡形。在试场之后，有至公堂，原为考官评卷之所。两侧有钟鼓

亭，左侧有一亭名风节亭，是明末滇南名贤王锡衮为沙定洲所害而殉国的纪念亭。

贡院大门，正面系一照壁，是出榜和告示的地方。旁有两坊，一坊正面为“腾蛟”二字，背后为“为国求贤”四字。另一坊正面为“起凤”二字，背面为“明经取士”四字。出左门不远，有一石桥，称龙门桥，取“鱼跃龙门”的意思。右边有一坡名贡院坡，上坡后的那条街称为文林街，直通大西门，门外有两条横街，一条名龙翔街，一条名凤翥街，是当年来省应试秀才住宿的旅店所在。

光绪末年，停止科举，创立新学，即在贡院原址，成立甲种农业学校，培养农田蚕桑技术人才。

民初，唐继尧为云南督军兼省长时，以其私人名义，在贡院原址创立东陆大学，农业学校即外迁双塔寺。所以称为“东陆”者，因唐继尧自号“东大陆主人”。

东陆大学正面建一主楼，题曰会泽院。会泽县系唐氏之故乡，故名。会泽院系教室、办公室、图书馆等综合使用。左侧贡院原来的考棚，均为学生宿舍。

在三次递变中，原贡院遗址大部分改变，仅存者只有至公堂。下面的两坊一照壁都没有了。龙门桥更连名称都不复存在，现名青云街，取青云直上之义。

会泽院的开启典礼

全　荃

我八岁时，在东陆大学会泽院开启盛典中，曾充当了一名小小的配角。

主角是当时赫赫有名的云南督军兼省长唐继尧。唐以反对袁世凯称帝立过功，他有自己的“壮志”，自号“东大陆主人”。会泽院是该大学的教学大楼，建成于1923年4月。

那时我读女师附小二年级，我的老师熊韵篁考上了东陆大学，是第一班惟一的女学生。她对我说：“小妹，东陆大学要开学了，新大楼会泽院的开启盛典，唐继尧要亲自来主持。我带你去参加，要你帮忙做一点事。”

盛典那天，熊老师一早去叫我，看见我妈给我穿了一身时新衣服，她很满意。我之所以被老师选中，多半是为了我是剪短发的，社会上曾讥为“瓢箕头”。那时提倡女子剪发，也算是开风气之先。

熊老师带我进了大学，送我到会泽院大铁栅边，嘱我不要紧张，要大人方方的。她递给我一个红漆托盘，里面放着一把金光闪闪的大钥匙，我双手接住，站在门边静等。约半小时，大队人马从东边挂着“为国求贤”匾额的大门走了进来，在军

乐声中，唐继尧的佽飞军仪仗队作前导，唐继尧头戴一尺多高的冲天缨，身穿黄呢将军服，胸前挂满各式勋章，戴着白手套，登着长统马靴，稳健地一步步踏上石级，身后随着一群侍从官员。

佽飞军在会泽院平台铁栏杆边列好队，第一任校长董泽宣布：东陆大学开学，会泽院今天启用，由唐省长亲自来主持开启典礼。军乐响了起来，唐继尧走到大铁门边。我向他行了三鞠躬礼，举起托盘，他从托盘里拿起钥匙，用手在我头顶上摸了摸。有人把扎在铁门上的红绣球揭起，唐继尧把锁打开，把钥匙放回托盘。我又向他行了三鞠躬，他又含笑摸摸我的头顶。大铁门向两边打开，唐继尧走在前，与陪同人员一拥而入。

熊老师很快到我身边，把我领进教室，赠给我两大包糖果。

重金赎回《钱南园族谱》

肇　予

清代著名书画家钱沣，官至御史，诗文著作颇多，经后人整理编订，有《钱南园遗集》八卷行世。

钱氏尚著有《钱氏族谱》一帙，记其始祖吴越王钱俶以来之世系，并亲笔楷书，字体端庄劲拔，作册页装帧，实为钱字中之白眉。此《族谱》

几经辗转流传，落入曲靖某中学教师陈伯芳之手。民国十二年(1923)，曾有人以重金向陈氏购得，欲携往上海。当时任云南图书馆馆长的赵藩获悉，认为此系云南瑰宝，不仅具有学术资料价值，亦为书法艺术之珍品，不应外流他乡，遂托人与陈氏协商追回，殊料陈氏先是佯作不知有此《族谱》，几经对证，才不得不承认，但又拒绝赎回。一时舆论哗然，但也有偏袒陈氏者，诬称是赵藩假公济私，欲攫为己有。后几经周折，终由赵藩向滇督唐继尧请求拨出赎款约三百元交付陈氏，敦促他将此《族谱》追回，正式收购，交归云南省图书馆庋藏，才算了结此事。为此，赵藩曾撰有《收购钱氏族谱始末记》，附存于《族谱》之后。又隔几年，大理严子珍又购得《钱氏族谱》之清稿本，卷端有陈荣昌、周钟岳、袁嘉谷之"题识"，亦交省图书馆收藏。晋宁方树梅据此正副两个本子稽核对勘，刻印流通行世。

"烟村四五家"

冯辉明

晋宁盘龙寺内有一家小食馆，招牌叫"烟村小吃"，名字幽雅。据食馆主人讲，是根据"一去二三里，烟村四五家；楼台六七座，八九十枝花"这首诗起名的。

这首用数字写成的五言诗，通俗、明快，易于上口，过去在全国曾广为流传。我在边远的乡村老家读小学时就会吟诵了。

据说此诗系乾隆年间晋宁文人王寿祚所作。算得是诗中有画，画境如诗，而且田园韵味很浓。原来晋宁盘龙山下，有块二十几里长的小坝子，向东走二三里便有一个菜烟村，村里只有稀稀朗朗的四五户人家。村里还有大户人家的楼房大院约六七座，附近长有各色各样的野草闲花。作者见景生情，嵌入数字，韵律自然，意境清新，广泛流传，不胫而走。

盲人定奖

任 千

云南的铅字排版印刷，起自光绪二十九年（1903）。其主要业务，是为督抚衙门印刷《滇南钞报》（相当以后的日报），每天出版，公开发行。初创时设备简陋，铅字均为老宋字，标题用大、二号，正文用四号，以手工抄纸单面印刷，发行全省。后来将印刷作坊扩大为云南官印局，购买机器，增添设备，并接受外来的书报杂志及零星印件，收费公道，出版周期较快，颇受欢迎。

约在光绪三十四年（1908），又拟再增印刷设备，扩大经营，由于财力不足，地方当局决定发行有奖彩票一万张，每张银元三元，定期还本付息。奖分十等，头彩得三千元，末彩得五元。头彩一名，其下获奖名额依次递增；获奖金额依次递减，实行公开销售。

售完之后如何开奖兑现、如何决定中彩号码呢？因为当时还没有摇号机，主事者盘算再三，决定定期在报国寺里公开抽号。办法是编写一万个号码，各卷成纸条，请两个瞽目人当场拈阄，抽拈次数以各等名额而定，如头彩一名只抽一次，三彩五名抽五次，当众定奖，抽着哪号算哪号，起手无悔，果真是凭运气中彩，大家均无异议。

龙云击破洋擂台

任　芝

1914年，龙云任唐继尧副官。当时，有法人自称"大力士"者来昆，扬言在昆明北门外东陆运动场摆擂台三天，如被人击败即离昆，否则将在昆开馆授徒，真是狂妄之极。

当时，督军唐继尧，甚望有人能击败"大力士"，以灭其威风，故亲往观。第一日，万人空巷，观者如堵，交手同胞皆败绩。第二日，无人应擂，"大力士"更为嚣张。第三日，唐仍亲往鼓励，开擂时无人应，须臾，龙云脱下军装，着衬衣长裤，从观众中一跃上台，做出架式，欲应擂。"大力士"视龙身躯不如己伟岸,有轻视意。交手数合,龙虽虎虎风生,终因手腿长短悬殊,不能击中"大力士"要害。后以掌猛砍敌臂,"大力士"如触电,顿时麻木不仁,几瘫痪,即大呼抗议,谓龙以暗器伤人。龙遂脱去衬衣、长裤,示无物。再交手,龙以手、体将"大力士"撞下台。观众掌声、喝彩声雷鸣,一时传遍遐迩。唐甚喜,此为唐重龙之远因,此事在军民间广泛传播。

滇西北土司的权力

雷声普

滇西北的永胜、华坪两县,有高、章、子三姓土司,世代承袭,其职权是:"世领其地,世长其民。"土州衙门内有各种办事机构及负责人,理财曰总管,或曰管事,文案曰通事,武职曰把事,又曰把目。土州以下,各地有分守衙门,由土官亲属坐守。村寨有粮头、兵头、伙头、马头等,直接统治百姓。平时,在各村寨派粮、派款、派伕役、派牲畜、派食物及珍贵土特产。

那时的山区、半山区、河谷地带及部分平坝地区,有土司庄园,也有土司的科赋田地。据说北胜(今永胜)高土司就有三百六十个庄子,现在仍残留沿用的庄名还有三十多个,如玩鹰庄、底线庄、梳盒庄、鸭子庄、果园庄、芝麻庄、小官庄、鱼庄、和尚庄、马伕庄、土锅村、芭蕉田、马凳田、马料田、肝花庄、狗饭田、土官坟田、火头田、烧香田、跑马田、长夫田、梆子田、腊猪田、鱼棚庄、鹅鸭田、红花田、叫鸡田、总管田、铺席田等等。

农奴百姓,除了上交皇朝的“正赋”、“正供”外,还要交纳土司的“差发银”、“贡赋银”、“袭职银”等。此外,土司生男育女或婚娶,百姓要交喜庆银;土司家死人,百姓要交“孝白银”;土司下乡回衙,百姓要交“过山银”、“护送银”。每年土司迎春,百姓要抬轿、抬春牛;土司修城墙和护城河,修寺庙、衙署、仓库、坟墓,都要百姓出劳役、送贡礼。总之,凡是土司要做的事,百姓都得付出无偿劳动。

土司在政治上执行“法外之法”,经济上实施“课外之课”,禁限极多,如不准农奴百姓读书做官;不准住瓦房、穿长衫;不准与汉户同坐、同行、与汉通婚……当地流行一句谚语:“横要‘倮倮’死,竖要死‘倮倮’。”概括了土司统治下农奴百姓所受到的残酷压迫与剥削。

“两条青龙闹海”

赵宏逵

光绪十八年(1892),曲靖大灾,田禾无收,知府谢隽杭奏请减赋赈济。是年冬,朝廷谕云贵总督王文韶查实灾情，办理赈抚。

腊月中旬，王文韶到达曲靖，谢太守设宴款待。由于连日大雪纷纷，气候寒冷，总督路上受了风寒，不喜食大鱼大肉，只想吃一碗“清淡有味”的菜汤。

谢太守急忙下厨吩咐做汤，可厨师们感到难极了，在这大雪天，菜都冻光了，这菜汤怎么做呢？厨师詹开仁急中生智，便去到后园菜地里扒开积雪，刨出了两棵败了叶的青菜根，然后切成细丝，放入葱、姜、胡椒等，烧了一碗汤送上。

总督闻到一股清香扑鼻的美味，端起汤来喝得满头大汗，自觉身体清爽多了，遂问谢太守上的是什么汤？谢不能答，即传詹师傅来问。

詹开仁先以为是怠慢了总督，闯下了大祸，吓得跪在总督面前连声请罪。王文韶笑着叫詹站起来，问他做的汤叫什么汤？说是可口、治病又开胃，要重赏呢！

詹开仁愣了一下，很快从这两棵青菜根上悟出一个菜名来，便说：“禀总督大人，此汤原是一道家传小菜，名叫‘两条青龙闹海’，专解厌食。”王文韶高兴地赞道：“好一个‘两条青龙闹海’，真是好汤好名。”

方国瑜与《韵略易通》

周嘉禾

民国初年出版的《云南丛书》中有一部《韵略易通》，署名为兰茂(号芷庵)著。当时方国瑜先生还在北京师范大学读书，见到此书后，发觉作者署名有误，于是在《国文杂志》上撰文，指出《韵略易通》有两部：一部为兰茂著，出书稍早；另一部为释本悟所著，出书稍后，而《云南丛书》中刊出者，实为释本悟所著。文章发表后，编辑《云南丛书》的赵藩、袁嘉谷先生经重行考查，发觉的确弄错了，才把作者恢复为释本悟。

自此，方国瑜即为赵、袁所赏识，后来成为亦师亦友的莫逆之交。方国瑜在读大学时，就有严肃的治学精神，后来能成为著名学者，实有所自。同时也说明赵、袁等前辈对青年学生的意见能虚心接受并加奖勉。

这两部《韵略易通》差别是：兰茂著的是用“东风破早梅，向暖一枝开。冰雪无人见，春从天上来”这首《早梅诗》二十字作为声母排列；而释本悟著的改以守温三十六声母修订合并为二十部声母排列，本不难识别。我曾见云南省图书馆原稿中有编者批语，大意是说僧人不可能有此作，必为兰茂所作无疑等语，似即致误之由。

马帮

马子华

在民国年间，滇川黔部分地区，因山岭重叠，路径狭窄，交通运输全赖骡马驮运。

云南维西、中甸一带所产骡马，身躯较矮小，后脚略短，但体力强壮，上下山敏捷，故有“上山骡子下山马”之称。在马帮群中一定要有一匹高大的骡子为前导，称为“带头骡”，它头上装饰有红缨的辔头，颈上带着一大串大小铜铃，雄赳赳气昂昂前行，后面的骡马追随、顺序前进。远处的马帮听得铃声，便作好让路准备，以免在狭窄的山路或陡壁悬崖上相遇，进退两难。

马帮由私人经营，马户大小不等，资本雄厚的，拥有的马匹就多，但较小的马户，也拥有二三十匹牲口。因为生活习惯的不同，回、汉等族各有本族的马帮，而以回族经营的马帮较多。

商家驮运货物，要先找马户。一切细节协定以后，定期起程运送。“赶马人”被尊称为“马哥头”，他们一行多人，各人分管几匹牲口，行止，饲养，医治，钉掌，都分别负责，有的还装备刀剑枪支以作防御，也有出钱请驻军派兵护送的，称为“保商队”。

途程大抵七八十里为一马站，到了一定的城

镇都有马店可歇,有马厩、料槽、饲草,住宿后,饭食自理。“未晚先投宿,鸡鸣早看天”,住了一宿,天蒙蒙亮就“驾驮子”上路了。也有的马帮不愿多出店栈钱,喜欢露宿,在山野间选一处有林木泉水的地方住下来,支撑起铁三角架,架起柴火,焖锣锅饭,做菜而食。我多次随马帮旅行,觉得和他们生活十分有趣。中途“开稍”歇息,锣锅饭特别香,尤其回族把牛肉乾巴切了焖在饭里焖熟,尤其味美。汉族马帮吃饭,必然大碗喝酒。

旷野露宿,得找个场地较宽阔的地方,把马驮子卸下围成个圆圈,把驮它的马匹拴在这个驮子上,将装好豆料的小麻袋套在骡马嘴上,夜里它便自行咀嚼。在核心地方,马哥头将披毡裹着身子,躺在草坪上睡觉,人们(包括保商队兵、旅客)都围着一堆篝火睡觉。篝火堆里放进一些草果,起着驱走野兽的防卫作用。露宿,由马哥头轮流值班守夜,背着刀枪,在驮子外面巡逻,遇特殊情况,就叫喊或鸣枪示警,以保安全。

行 路 难

王 樵

从前我们由家乡滇东北到昆明念书,都是步行,需要整整十八天才能到达。

那时途中人烟稀少,非到站不能解决食宿,

而且一般都要跟随马帮行进，因为马帮带有枪支，不怕土匪，同时大队人马同行同宿也不寂寞。

1931年冬，我和表弟两人来昆就学，每天伴随着马帮的铃声，晓行夜宿，在崇山峻岭、密林深箐中行进，真是既辛苦又有趣。记得有一天，我们投宿一个地名“江底”的地方，次日，天方破晓，我们就起床赶路，那时已经是衰草寒烟、繁霜满地，当走到江底桥上时，看着天空还挂一弯残月，桥上一片霜华，我不禁想起“鸡声茅店月，人迹板桥霜”的诗句。这种诗情画意的景象，颇增旅途情趣。

过去在一些小旅店门上，常贴着“未晚先投宿，鸡鸣早看天”的对联，在山区走路，更是如此，到站即须住宿，不然，就会留住荒山野箐，那就很危险了。而且沿途旅店吃住，一般都很简陋。记得一次我们住店后，只有饭，没有菜，一个由四川挑运冬笋来昆明出售的同路人，取出两只冬笋炒作菜吃，在荒村野店吃到它，真是美味佳肴，特别可口。

云南多山，过去那种千里跋涉、风雪路途的情景，确实“行路难”，至今未能忘怀。

一副春联表心情

邓经邦

1948年8月19日，国民党政府滥发金圆券，一时通货膨胀，物价猛升，遍地哀鸿，民不聊生。次年春节，见昆明威远街中段一家门上贴有春联云：

薪如桂，米如珠，问君何以卒岁？

庖有鱼，樽有酒，在我即是过年。

联语反映了当时老百姓的一般心情。

水獭祭天

和国才

幼年时，听过水獭祭天的故事，在《礼记·月令》里有“鱼上冰，獭祭鱼”的记载，在怒江傈僳族聚居区，我曾随一傈僳兄弟亲眼看过一次水獭祭天实景。

太阳刚从碧罗雪山顶上冒出，怒江峡谷两岸连山，到处有潺潺流泉。遮天蔽日的树林，郁郁苍苍，使风光更加秀丽。我们突然发现道路正中放着一条两三斤重的水淋淋的鲜鱼，两腮张合翕动，尾巴左右摇摆，好似刚从江中跃出。我俩前后左右观看，未发现任何人影，心里很觉奇怪，想弄个水落石出，于是就在大树后隐蔽窥探。不一会儿，江水响处，只见一只浑身长满深褐色细毛的水獭，嘴里叼着一条鱼游上了岸。它敏捷地把鱼叼放在原来那条鱼之侧，然后，蹲下身来张头缩脑地张望一阵，又跳入江里。我们这才恍然大悟，原来鱼是水獭拿的。我们不吭声地继续埋伏。没多久，又见水獭跃出水面，把新抓到的第三条鱼放在路上。我们看着路上一字儿摆着的三条鱼和水獭那半蹲半立的怪相，便大吼一声，一跃而起，飞身扑向水獭。那水獭很灵巧，一转头，“扑通”一声跳下江去了。

那三条鱼摆得很整齐，真像人祭祀时的供品，而水獭在鱼旁观察时的动作，也像人在磕头祭祀，这可能即古人所称的水獭祭天。据当地群众说，碰到水獭祭天之年，还是风调雨顺的大好年景呢。

后　记

每当金秋，云岭稻谷飘香，山民们带一脸喜悦，挥汗把镰，辛勤收割。这时，在家闲不住的老人，常到田间拾起遗落的谷穗。一穗穗，一枝枝，积少成多，堆积盈筐；颗粒饱满，清香溢室。既分享了丰收的喜悦，又对社会不无补益。在文史界，如果把各种专史比作大面积的收获，那么，我们的文史笔记，则是拾穗补缺了。故此，将本书取名为《云岭拾穗》。

拾来的谷穗需要按品种分类收藏。我们也将从三迤大地上拾来的文史谷穗分为胜事钩沉、人物春秋、抗战纪事、艺苑奇葩、文物集萃、三迤胜迹、民族风采、天南方物、金碧鳞爪等栏目。云南山川壮丽，民族众多，文化及社会形态亦多种多样。这些文史谷穗色香各异，风味有别，有的还耐人咀嚼，颇堪回味呢。

感谢这场劳动的组织者——各级领导的切

实帮助,感谢众多的拾穗者的辛勤劳动,由于大家的努力,《云岭拾穗》才得以顺利编成。

拾穗几经拣选,得稿一百三十余篇,计九万余字,合成此书。承蒙刘北汜、姚以恩两先生来昆编审,实为本书增色不少。

编　者